知ってますか？

「近い昔」の沖縄・33話

大城将保 著

高文研

◆──はじめに、編集部から

本書は、作家・劇作家であり、同時に沖縄戦研究者である大城将保（ペンネーム・嶋津与志《しまつよし》）さんが、高文研のホームページに随時に寄稿されてきたエッセイをまとめたものです。

当初は百話に達したところで単行本にされる予定でしたが、三三話に整理して出版することになりました。

ベースは一九三九（昭和一四）年生まれのご本人の体験をもとに、かつて県立博物館の館長をも務められた学識をまじえて面白く仕上げられた三三話です。さらに「遠い昔」のことは古老に聞いて確かめられたこともあったそうですが、ご本人もいつしか古老の年齢に達してしまわれたので、ご相談の上、とくに若い世代の方たちに読まれることを願って、このような形で世に送り出すことになりました。

以上のように年数をかけて書かれたものですので、だいぶ以前の話題も入っています。たとえば、大城さんご自身も深くかかわられたキジムナーフェスタ（正式名称：国際児童・青少年演劇フェスティバルおきなわ）は、現在は開催地を沖縄市から那覇市に移し、名称も「りっかりっか＊フェスタ」と変わっています。しかし「近い昔」のことにもちろん変わりはありません。

もくじ

装丁：商業デザインセンター・増田 絵里

1 ウチナーンチュ（沖縄人）の姓名

私事で恐縮だが、私には呼び名がいくつもある。戸籍上は「大城将保」だが、さて、これをどう読むかとなると沖縄ならではの、ややこしさがつきまとってくる。

ある長老は私を呼ぶのに、「おおぐすく・しょうほ」で通した。「おおぐすく」は、沖縄に多い「城」のつく苗字の本来の読み方である。長老は琉球古来の「グスク」と呼んで、私の苗字に敬意を表したのであろう。

日本人の苗字の約九割は地名に由来すると言われる。琉球・沖縄の場合も同様だが、その地名その地名に「城」のつくのが多い。琉球・沖縄の歴史には「グスク時代」という歴史区分があって、琉球諸島には「グスク」と呼ばれる遺跡が二〇〇〜三〇〇も現存するという。

なかでも今帰仁《なきじん》城、座喜味《ざきみ》城、勝連《かつれん》城、中城《なかぐすく》城、首里《しゅり》城は、王国の統一ドラマの舞台となった史跡として、世界遺産「琉球王国のグスク及び関連遺産群」に登録されている。

古琉球《こりゅうきゅう》の時代に按司《あじ》（領主）たちが群雄割拠《ぐんゆうかっきょ》した時期があって、彼らが各地に築いたグスク（城）の名称に由来する苗字（名字・姓・家名）をあげると、玉城、山城、金城、宮城、真栄城、花城、新城、城間、登野城……等々きりがない。

沖縄で多い姓

①比　嘉
②金　城
③大　城
④宮　城
⑤新　垣

わが家でも地元のグスクの名称にあやかって「大城」を名乗っているわけだが、ただし、名もなき百姓の家系をもつわが家の姓（家名）は、明治の廃藩置県（沖縄は本土より八年後の一八七九年）のあとに役場に届ける際に便宜的に選んだ姓であって、首里・那覇の士族階級の領地や位階などに由来する由緒ある姓ではない。近くに大城という集落が現存するので、たぶんそこから思いついたのだろう。

ところで、この「城」という一字がいく通りにも読めるというやっかいな曲者なのだ。

ちなみに、「玉城」ひとつとってみても、タマグスク、タマシロ、タマキと三通りあって、「タマシロ村のタマグスク中学校のタマキ先生」と呼ばれる人物が実在したこともある。ちなみに現沖縄県知事は玉城《たまき》デニーさんである。

「新城」はさらに多岐に変化して、アラシロ、アラグスク、アラキ、シンジョウの四通りの読み方がある。

苗字にくわえて、さらに不統一なのが個人の呼び名だ。さきほどの長老が、私の「将保」を「ショウホ」と呼んだのにも理由がある。本土で「将門」をマサカドと訓読みで呼ぶのに対し、中国文化の影響の濃い琉球では音読みが一般的で、「将門」はショウモンと呼ぶのが通例で、従って「将保」も「ショウホ」と呼ぶべきであった。

一八七九（明治一二）年の「世変り」（琉球処分・廃藩置県）は、名前の呼び方にも「様変り」をもたらした。明治政府の号令による琉球風から大和風への改革は、言語・風俗・学制・衛生等々の万般におよんだが、これらの改良運動の第一線に立たされたのは教師や官吏や巡査たちであった。

村役場の下級職員であった私の父なども例にもれず、自分は「佐清」と書いて「サセイ」と読ませながら、子どもたちの名は「将俊＝マサトシ」「将昭＝マサアキ」などとヤマト読みに統一された。

名乗り頭の「将」という由緒ありげな頭一字も軍国主義の時流に乗ったまでのことで、戦後生まれの弟には、「靖」などと平凡な名前に変えている。

芥川賞作家の大城立裕氏は大正末のお生まれであるが、父君が県庁役人であったせいか、当時としてはハイカラな「タツヒロ」と読ませた。ところが世間はそうは思わない、文壇の関係者までが物知り顔で敬意をこめて「リツユウ先生」などと呼んでくれる。それをいちいち訂正するのに骨がおれたという。

大正末期から昭和初期にかけて、新顔の沖縄県では一種の文化革命が起こりつつあったのだ。やがて昭和一〇年代に入って、「文革」の風が暴風に発達して暴れまわるころには、この無防備ののどかな島々にも軍靴のひびきが迫りつつあった。

一九三六（昭和一一）年、沖縄教育会は「姓の呼称改正に関する審議委員会」を設置して、翌年、読み替えるべき姓として、金城（かなぐすく→きんじょう）、山城（やまぐすく→やましろ）、玉城（たまぐすく→たまき）など八四例を挙げている。「大城」もそのやり玉にあげられたのである。

敗戦後、最初の初等学校一年生として収容所の学校に入学した私は、自分の姓名を「オホシロ・マサヤス」と書くことを覚えたが、出席をとる先生はなぜか「オオシロ・ショウホ」としか呼んでくれない。いくたびか異議申し立てをして訂正させたが、また元へ戻ってしまう。ながく不快な思いがつきまとったが、高校へ進んである日、ハタと悟った。「沖縄ではショウホのほうが正統派なのだ、戸籍簿では呼び名までは規定してない。これからはショウホで通そう」と決心した。

それから数年後、東京で一〇年間をすごしたが、「ショウホ」と呼んでくれる人はほとんどいなかった。復帰の直前に沖縄へ還ってきて四〇年がたった現在、県内でも「ショウホ」派と「マサヤス」派が、ほぼ拮抗している。

本人はとっくにあきらめて「どちらでもいいです」と中立を宣言している。

2 島々を歩くと沖縄がよく見える

沖縄は離島県である。島嶼《とうしょ》県ともいう。全国では長崎県の五九島がトップだが、主島の沖縄本島を含めてすべてが離島で成り立っているのは沖縄県だけだ。県庁所在地のある沖縄本島（全長一三〇キロ）も、九州方面からみれば琉球列島の中の離島の一つでしかない。八重山の鳩間《はとま》島などはその位置を説明するのに、「離島の離島の離島の離島」といった冗《じょう》句《く》が使われる。

私が「島歩き」をはじめたのは、「世替り」の本土復帰の直後のことだった。復帰直前の一九七一年四月に東京から引きあげてきて、翌年、県立沖縄史料編集所の専門員として職を得ることが出来た。与えられた仕事は『沖縄県史』の「沖縄戦記録2」の編集担当であった。

沖縄返還問題で激動する最中に発行された『沖縄県史・沖縄戦記録1』は、県内外から大きな反響をよんだ。沖縄戦の体験者の証言を記録したこの一冊によって、これまで沈黙の闇に埋もれていた住民犠牲の実相が浮かびあがり、日本軍によって強要された住民虐殺や「集団自決」の実相が赤裸々にあぶりだされ、「自衛隊配備反対」を中心的なスローガンにかかげる返還協定反対運動にも大きな影響を与えた。

竹富島の街並み

『沖縄県史・沖縄戦記録1』は沖縄本島の中・南部の激戦地に限られていて、本島北部や離島地域は続巻の「沖縄戦記録2」に収録されることになっていた。当時六〇万県民の戦争体験の実相は、本島中南部の激戦地だけをみては全容が見えてこない。離島や山村僻《へき》地《ち》にも「地獄の戦場」はくりひろげられていたのだが、これまで戦史や戦記などで照明をあてることはほとんどなかった。

「硝煙弾雨だけが戦争ではない。離島僻地をふくめた戦争体験の全貌をくまなく記録する」という編集方針のもとに、私の離島めぐりがはじまった。各地に調査員や執筆者を委嘱してあるが、編集担当者も補足調査や解説の資料収集で全島を巡回しなければならない。北は伊平屋島《いへや》から南は波照間島《はてるま》まで、西は与那国島《よなぐに》から東は大東諸島《だいとう》までと、広い範囲である。

島歩きの最大の収穫は、島々に埋もれていた沖縄の原風景を再発見したことだった。島は海岸線でふちどられた運命共同体の小宇宙である。人びとは島で生まれ、島で働き、島で死んでいく。人の一生に必要な最低限の条件を、島は小さな円環の内側にかかえこんでいるのだ。そこではヨコ型社会の島共同体の相互扶助の仕組みが工夫され、人間と自然との共生のルールが守られている。

なかには閉鎖社会の暮らしが息苦しくなって、籠を破って広い世界に飛びたっていく若者も少なくないが、彼らの心の底に島のイメージはたえずつきまとっていて、人生のふし目ふし目に、「生まれ島」とか「ばが島（我が島）」といった言葉がよみがえってきて、潜在的な帰巣本能がめざめてくる。

私もまた復帰混乱の最中に一〇年ぶりに郷里に引きあげてきて、「オキナワとは何だろう」という終生のテーマをかかえこんでしまった。

私は毎年四月に、沖縄県自治研修所が主催する県の新採用職員の研修で「沖縄の歴史と文化」という講座を担当していた。後輩たちにつねに強調するのは、「沖縄県にとって最大のエネルギー資源は、沖縄人の愛郷心である。沖縄においてはナショナリズム（愛国心）よりもペイトリオティズム（郷土愛・愛郷心）の感情が圧倒的に優位を占める」という事実であった。

石垣島・川平湾

愛国心はまかり間違えば排他的な戦争や紛争への道へ暴走する危険があるが、郷土愛は隣人との共生の感情につながっていく。復帰四〇年（二〇一二年）にあたっての県民意識調査でも、「沖縄県人であることを誇りに思う」という回答が、他県にくらべて異常なほど突出して八五％にのぼるというデータでも証明される。さらには本土や外国に住む移住者や移民の場合は、さらにこの傾向が強いという事実でも明らかだ。

この郷土愛の源泉がどこから湧いてくるのだろうと考えてみると、やはり島社会という小天地に生まれた者の潜在的な世界観（海岸線でふちどられた運命共同体）といったものに根ざしているのではないだろうか、と考えないわけにはいかない。

「沖縄に立つと日本がよく見える」とは本土から訪ねてくる人たちがよく使う言葉だが、私にとっては同様の発想から、「島々を歩くと沖縄がよく見える」と思っている。

ところが、「島を歩くことは海を歩くことだ」と気がついた。島々の暮らしは海に支えられて成り立っている。したがって海を語ることが島を語ることになるのだ。

3 「おきなわ」の呼び名

沖縄に関する地名・国名にはさまざまあって、初めての人にはややこしい。
琉球・球陽《きゅうよう》・中山《ちゅうざん》・沖縄・南島《なんとう》・琉球列島・南西諸島・沖縄諸島・琉球弧《こ》・うるま……。

なかでも、このごろ話題にのぼるのが「うるま」だ。平成の大合併で、沖縄本島中部の石川市、具志川《ぐしかわ》市、勝連《かつれん》町、与那城《よなしろ》町が合併して「うるま市」が誕生した。

新生自治体の門出のめでたい話だから、表立った論争には発展しなかったが、昔から沖縄の美称として用いられ、近ごろまで県産煙草の商標として愛用されてきた「うるま」の語源については、以前からさまざまな説があった。辺境説、韓国鬱稜《うつりょう》説、台湾島説、古沖縄説など……。

辺境説は平安時代の歌人・藤原公任《ふじわらのきんとう》の「おぼつかな　うるまの島の人なれや　わが言

沖縄県紙も沖縄タイムス、琉球新報の２紙

の葉を知らず顔する」という片思いの歌が出典の一つになっている。ここでは、「うるま人」とはまるで言葉の通じない辺境の未開人のことをさしている。

うるま＝琉球説を世にひろめたのは連歌師の里村紹巴《じょうは》の『狭衣《さごろも》物語』であるらしい。いずれにしても辺境のイメージがつきまとっていて、新生自治体の名称としてはネガティブなイメージにもとられかねない。また、「うるま」には対応する漢字が見あたらないから、市名の意味なり由緒などを漢字に置きかえて説明するのがむずかしい。

これに対して、「うるま」の語源を明るいイメージで解釈する説もある。

「ウル」とは琉球方言で砂とか砂利という意味で、今でも日常語として通用している。

この「ウル」が語源だとすれば、サンゴ礁が砕けてできる白いウル（砂）に縁どられた美しい島というイメージが浮かびあがってくる。

ところが、国文学者の池宮正治氏によれば、「うるま」という地名は琉歌や組踊ではまったく使用例がないという。卑称であれ美称であれ、「うるま」という別称は、どうもヤマト発であるらしいのだ。たしかに「うるま島」が沖縄現地の歌謡や広告や商号などでさかんに現れるのは、本土の学者や文化人がひんぱんに往来して、沖縄研究がさかんになった大正末からのことで、どうも本土からの輸入品のにおいがする。

とはいえ、沖縄現地にもともと「うるま島」という言葉がなかったわけではない。琉球王府の古語辞典ともいうべき『混効験集《こんこうけんしゅう》』では、ヤマトの和歌の辞書である『和歌呉竹《くれたけ》集』から引用して、「うるま」は「琉球」のことだと明記してある。

言葉はもともと生き物であって、いかようにも変化発達していくものだ。「はじめに道はない、通る人が多くなれば道ができる」という魯迅《ろじん》の言葉をなぞっていえば、はじめに言葉があるのではなく使用する人がふえるにつれて共通語として定着していくものだ。

だから、『和歌呉竹集』や『混効験集』が仮に誤っていたにしても、そこから出発して長いプロセスを経て現代に至った民衆の言葉を、われわれは「現代語」として用いればよいのであって、奈良や平安の昔までさかのぼって語源を探求する仕事は、言語学者や歴史学者にまかせておけばよい、というのが私のシロウト考えである。

ついでに、わが「ウチナー」につけられたさまざまな名称について、思い浮かぶままに自己流の解釈と解説をつけておく。

◆琉球＝王国時代と、第二次大戦後のアメリカによる占領統治時代（一九四五〜七二年）に用いられた国際的な正式名称。中国の古書に流紕、流求、瑠求、琉求などの当て字が見られ、名づけ親は中国（明・清）かもしれない。

◆中山《ちゅうざん》＝三山《さんざん》時代に首里を中心に成立した尚《しょう》氏の王権を中山とよんだが、三山統一のあとも中国などに対しては、王国の別称として用いられた。「球陽」も王国の別名で、「球」は琉球のこと、「陽」は美称語である。

◆琉球列島＝九州から台湾の間に弓状につらなる、薩南《さつなん》諸島・沖縄諸島・宮古諸島・八重山諸島の総称で、自然地理的な名称。

◆南西諸島＝琉球列島に大東《だいとう》諸島と尖閣《せんかく》諸島をくわえた範囲をさす総称。おもに行政的な区域として用いる。
◆南島＝古くから日本本土から九州以南の島々をさした名称。琉球列島や南西諸島と同じ意味だが、おもに民俗学や歴史学などの限られた分野で用いられる。
◆沖縄＝沖縄方語でウチナーという。本来は沖縄本島と周辺の属島をふくめた沖縄諸島のことだが、一八七九（明治一二）年の廃藩置県で沖縄県になってからは、琉球にかわる行政名称として沖縄県域の全体をさす場合が多い。
◆琉球弧＝もとは地理学者のナウマン（ナウマン象の発見者）が琉球列島に名づけた地理学上の名称だが、一九六〇年代に島尾敏雄氏が本土中央に対峙する独自の歴史・文化圏をもつ地域として、奄美・沖縄をとらえた名称。

4 沖縄方言は日本語か

二〇一二年のことである。その夏も基地の街コザ（沖縄市）で「キジムナーフェスタ2012」が開催された。正式名称は「国際児童・青少年演劇フェスティバルおきなわ」で、毎年、夏休み中に開催される。日本で唯一の国際規模の児童青少年演劇祭というわけで、世界二〇カ国の劇団が八六作品を持ち寄って、一三〇ステージの公演をくりひろげる（なお、キジムナーフェスタは二〇一四年より、名称を「りっかりっか＊フェスタ」に変更している）。

とくに今年は、フェスタ開催中にアシテジ（国際児童青少年演劇協会）の第一回ミーティングが開かれた。アシテジ加盟の四〇カ国から約一〇〇〇人の代表が集まってくるので、その対応に忙殺された。世界会議のテーマは「劇場は命薬（ぬちぐすい）」というものであった。このウチナーグチ（沖縄語）の「命薬」というキーワードを解説する役目が私にまわってきた。

ここから本題にはいる。

「劇場は命薬」はアシテジ国際会議の基本理念を示すスローガン（標語）であるから、ポスターやパンフレットなどに表示されてさまざまな場所で目についた。入場者に配られるパンフレットの表紙裏にも、和英両文で次のように書かれている。

《ヌチグスイとは、沖縄方言で「命の薬」「長寿の薬」という意味です。クスイはクスリでもただの薬ではない。心の薬、心の栄養剤のことです。……沖縄には「命《ぬち》どぅ宝」という諺をよく耳にしますが、この大事な「宝もの」をささえてくれるエネルギー源が「命薬」なのです。……》

「キジムナーフェスタ２０１２」がオープンするやいなや、フェスタ事務局に抗議の電話がきた。

「沖縄語は日本語の方言ではない。『沖縄方言』という表記は間違っているから取り消しなさい」という内容だった。事務局は対応に困って、私のところへ連絡してきた。私も驚いたが、考えているうちに、問題の背景にだんだん察しがついてきた。

「沖縄方言」か「沖縄語」かは、実は「民族」という問題に深くかかわる大きな問題である。国際的に民族を規定するときに「言語」は重要な指標になる。もちろん日常的には方言の「ウチナーグチ＝沖縄口」を直訳して「沖縄語」と用いる場合もしばしばあるが、「ウチナーグチは日本語の方言ではない」と断定されると、「沖縄人は日本民族ではない」という論理になってくる。

そこで思い出したことがあった。二〇一二年六月二六日の沖縄タイムス紙の文化欄に「国連『琉球民族は先住民』人権委認定／文化保護策を日本に勧告」の見出しで、「アイヌ民族・琉球民族の子どもたちが民族の言語、文化について習得できるよう十分な機会を与え、うんぬん……」という勧告が国連人権委員会から出されたというのだ。

調べてみると、この勧告をめぐっては沖縄の市民グループから同委員会に琉球・沖縄に関する報告書が提出されていたという。国連勧告は「アイヌ＆琉球」とひとくくりにして認定しているようであるが、アイヌ問題と沖縄問題は歴史的に見ても人類学の見地からしてもけっして一括できるテーマではない。

アイヌにはすでに「アイヌ文化振興法」が制定されている。同法の評価について私は無知に等しいが、同様に「沖縄人にも『先住民』と公的に認めて、文化伝統言語を保護しろ」などと書かれると「余計なお世話だ」と言いたくなる。アイヌに関しては二〇一九年に「アイヌ民族支援法（アイヌ新法）が施行され、アイヌ民族を初めて先住民族と明記した。

それはともかく、私に突きつけられた当面の問題は「沖縄方言」という用語が正しいか否かということである。さいわい沖縄の言語問題については先人たちの研究によって十分な蓄積がある。

一七世紀の琉球王府の大政治家であった羽地朝秀《はねじちょうしゅう》は、琉球語が日本語と類縁関係にあることを例証したうえで、それを踏まえて日琉同祖論を唱え、琉球の古代的社会から近世的社会構造へ転換させる改革イデオロギーの武器とした。

明治中期、田島利三郎が琉球語研究を開拓し、彼の研究を継いだ伊波普猷《いはふゆう》が明治末から大正・昭和にかけて、言語学・民俗学・歴史学を駆使して「沖縄学」を確立し、日本民族南下説（アマミキュ渡来説）を根拠にして、琉球人のルーツは日本であることを証明した。ただし伊波の立場は、日琉同祖を認めながらも琉球固有の文化を沖縄の個性として主張する立場をとった。

いずれにしても、沖縄人のルーツを明らかにするうえで言語が重要な鍵をにぎっている

- 日本祖語 ―（2～7世紀に日本祖語から分離・11～12世紀に方言）
  - 本土方言
    - 東部方言（関東、東北）
    - 西部方言（関西、中・四国）
    - 九州方言
  - 琉球方言
    - 奄美方言
    - 沖縄方言
    - 宮古方言
    - 八重山方言
    - 与那国方言

本土方言と琉球方言

5母音 AIUEO	3母音 AIU
手 て TE	手 てぃ TI
目 め ME	目 みー MI
耳 みみ MIMI	耳 みみ MIMI
東 ひがし HIGASI	東 あがり AGARI

のである。伊波らが開拓した言語学を基礎にした沖縄学の蓄積は、戦後になって服部四郎、仲宗根政善《せいぜん》、外間守善《ほかましゅぜん》らが引き継いでさらに研究を深めていった。

とくに服部博士は言語年代学による分析で、首里《しゅり》方言と京都方言が南北に分かれた年代が、紀元三世紀半ばから六世紀はじめまでのあいだと測定している。さらに外間守善らの研究で、原日本語（日本祖語）から分岐した琉球語が、一一、一二世紀にはさらなる方言化が進み、本土方言との差異が大きくなるとともに、琉球内でも奄美《あまみ》方言、沖縄方言、宮古《みやこ》方言、八重山《やえやま》方言、与那国《よなぐに》方言へと、方言化が進んだことが明らかになった。

以上は、シロウト考えであまり当てにはならぬかもしれないが、確認しておきたいことは、日本祖語（原日本語）は本土方言と琉球方言に二分されていること、琉球方言も本土方言も共に日本語を担っている相棒であるという関係である。

従って、「ヌチグスイとは、沖縄方言で命の薬、長寿の薬、という意味です」と書いてなんら疑義をはさむ余地はないはずである。私は右のページのような表をつくって、もし電話で苦情を訴えた人が訪ねてきたら渡すようにと事務局にあずけておいたが、その後はなんともなかったようである。

5 沖縄人のルーツと稲の伝来

二月二一日は旧暦の初午《はつうま》の日にあたり、わがムラ（南城市百名仲村渠《ひゃくなナかんだかり》）では恒例のアマーエーダ（天親田）の田植行事が催された。沖縄の稲の発祥地として知られる受水《ウキンジュ》・走水《ハインジュ》のエーダ（親田）で、古式の田植式が催されるので、私も祭祀集団につながる者として参列した。

マスコミや見物人のカメラが取り囲む小さな田んぼ（親田）のなかで三人の若者が早苗を植え終わったあと、ユーエーモー（祝野）の広場に式場を移して、豊作を祈願する予祝行事が行なわれる。村人そろって四方拝をすませたあと、ハイライトの「天親田のクェーナ」の合唱となる。クェーナとは、沖縄諸島に伝承されている祭祀歌謡の一種で、航海安全や雨乞いなどのクェーナが各地に伝わっているようだが、その代表的なのがこの「アマーエーダ（天植田）」で、『沖縄民俗辞典』（吉川弘文館）は次のように解説している。

南城市百名仲村渠の古式の田植式

「稲の藩種《はしゅ》祭にうたわれたアマウェーダは、アマミキョ・シネリキョ神の水源の探索、牛を使った田拵《たごしら》えから説きおこし、種子籾《もみ》つくり、播種、苗の成長、田草取り、稲の結実、収穫・収納までを叙事的にうたう」

歌詞は行進用の「立ちクェーナ」と、式場用の「座いクェーナ」のふた通りあったようだが、現在のこっている「座いクェーナ」だけでも、次のような歌詞が47番までえんえんと謡われる。謡うのは男性だけで、楽器などの伴奏もない。

1、阿摩《アマ》美津《ミチュウ》が始みぬ　エー　アマウェーダー　ヨー　米ぬ湧上ゆい（各節くりかえし）

2、浦田原巡ぐやい／3、泉口悟やい／…（略）…／47、大ま積ぬん居るしてぃ

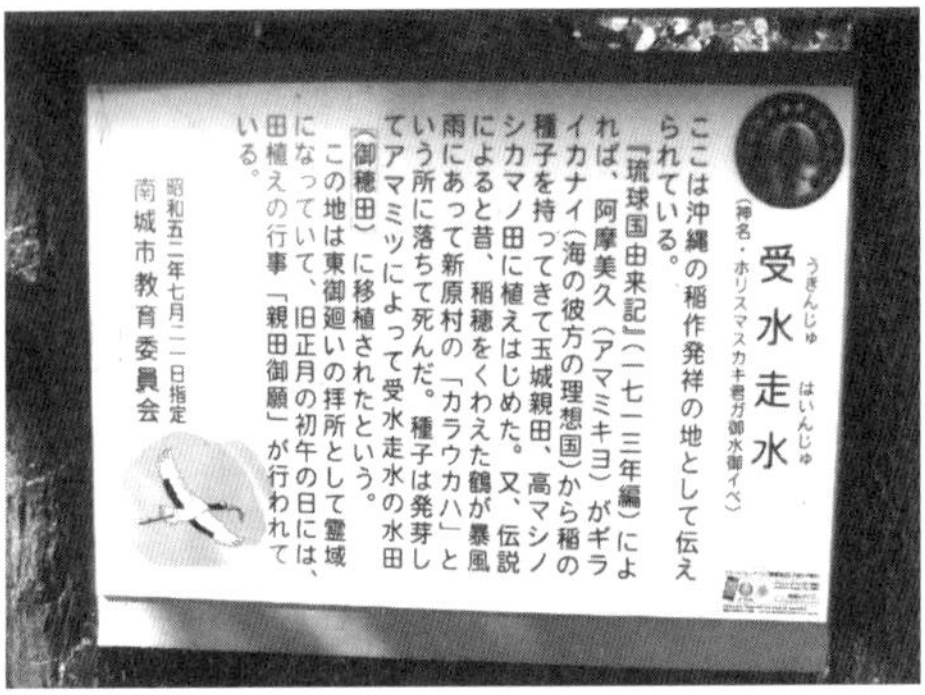

稲の発祥地の受水・走水説明板

沖縄の稲の発祥の歴史からはじまって田づくり、田植えから収穫まで、稲作の実際的な手順がくわしく謡われていく。沖縄の稲作は「上からの指導」によって普及した、という学説もある。

「天親田のクェーナ」も文字を知らない農民たちに稲作技術をひろめるために口移しで伝授するための歌謡であったのだろう。

昭和戦前期までは集落から受水・走水の親田まで村人総出での行列が「立ちクェーナ」を合唱しながら野道を往復したそうで、私の母なども子どものころから行列に参加して47番までほとんどそらんじていた。

その昔、受水・走水の泉水がそそぐ浦田原は稲の発祥地として正史にも記録され、アマーエーダの稲作行事も、首里王府の公認儀式であったという。明治のはじめころまでは聞《きこ》得《え》大君《おおぎみ》（王府の最高神官）が、国王の代理として受水・走水を参拝する行事が続いていたという話を子どものときから聞かされてきた。

いまでも私が興味をひかれるのは、アマーエーダの歌詞の冒頭に、いきなり「阿摩美津」が登場することである。「アマミチュウ」とは「アマミキョ」のことで、琉球王府の正史の冒頭に記される開闢《かいびゃく》神である。そのアマミキョ神がわが百名村で受水・走水の泉を発見したところから、琉球の稲作がはじまったと古老たちは語るのだが、受水と走水のふたつの泉は、私などが子どものころ百名浜で海遊びをしたあとに水浴びをした場所で、どうもアマミチュウという神様のイメージとは結びつかず、子どもながらに困惑したものである。

それだけに、アマミチュウがはじめたという稲作の起源には関心が湧いて、伊波普猷《いはふゆう》や東恩納寛惇《ひがしおんなかんじゅん》など、いわゆる沖縄学の諸文献を読みあさった時期があった。

伊波普猷の論文「琉球人の祖先について」は、次のように教えてくれた。

「琉球の言語と民俗は古代日本文化からの分かれであり、琉球人の直接の先祖であるアマミキョ族は九州から渡来して沖縄島に上陸し、グスクを築いて定住した人びとである」

琉球・沖縄の起源と文化をめぐる研究と論争は古くて新しい問題である。戦前の沖縄学の開拓者たちによる歴史学、言語学、民俗学などの蓄積のうえに、戦後はさらに研究分野が拡大して、考古学、人類学、農業経済学、言語年代学、ＤＮＡ測定など各分野で研究が進み、起源論争などはますます盛んになっている。

とくに本土復帰後は大規模な開発工事と並行して考古学の発掘調査がさかんになるにつれて学術論争も活発になり、年表の歴史区分なども書き換えられる状況である。たとえば、一九八八年に出版された『琉球歴史総合年表』（那覇出版社）の冒頭に「西暦三〇〇年、このころ稲作伝来し農業生活始まる」とあるのは、今日の南島考古学の高みから見れば論外といわれるに違いない。

農業経済学者の来間泰男沖縄国際大学名誉教授は、ここ数年来、沖縄人のルーツと稲作の起源という沖縄史の二大テーマと取り組んでおられ、『稲作と起源・伝来と〝海上の道〟上・下』（日本経済評論社）という大著にまとめられた。

伊波普猷や柳田国男などの古典的な学説から、最近の研究者たちの新説など二五〇本余の論文を丹念に読み解いて、学説や論点を整理したうえで自らの批評をくわえた労作である。沖縄研究論文のダイジェスト版といったスタイルで、初心者にも読みやすく整理されている。これをさらに私なりに整理して我田引水式に要点をまとめると次の通りになる。

①沖縄の土器文化（縄文文化）は北九州から伝わってきた。沖縄の縄文時代はだいたい日本本土と同じ展開であった。
②弥生から平安並行期に九州から土器と金属器がもたらされたが、稲作はまだ導入されず、弥生文化は定着しなかった。沖縄では「貝塚時代」ともいわれるように、採集・漁撈の時代がながく続くことになる。
③弥生から平安時代の終わりごろ（一〇～一二世紀）に、再び九州方面から渡来人（アマミキョ族）が渡ってきて、稲作農業が導入され、新たな農耕社会が切り開かれ、次のグスク時代（古琉球）へと展開していくことになる。

6

海を歩く～干瀬《ひし》の生活

一九七五年ごろ、プロボクシングの世界チャンピオンとなって全国デビューした具志《ぐし》堅用高《けんようこう》さんが、取材記者から「お父さんのお仕事は？」と聞かれて、「石垣島でウミアッチャー（海人）をしています」と方言まじりで答えた。

さらに「ウミアッチャー」の意味を聞かれて、「海を歩く人」と直訳してしまった。「キリストでもあるまいし」と相手はますます分からない顔をした……、という笑い話がある。どこまでホントの話かさだかでないが、おそらく相手は沖縄の海を知らなかったのだろう。沖縄の自然の海は、誰でも歩くことができるのである。

わが家は沖縄本島の東南端の海辺に立地していて、前方には視界いっぱいサンゴ礁の海がひらけている。視界の東端には、琉球の開闢《かいびゃく》神話の島として知らる久高《くだか》島の細長い島

干潮時の新原ビーチ

影が横たわっているし、視界の西端には、沖縄戦の終焉の地・摩文仁《まぶに》岬が太平洋の紺碧の海にむかって鋭い頭部を突きだしている。神々の島と慰霊の地を同時に遙《よう》拝《はい》することができるというわけだ。

　この静かな海にもこのごろは観光客の波が押しよせてきて、新原《みーばる》ビーチとか百《ひゃく》名《な》ビーチなどと呼ばれているが、私はこの海を「百名浦」と呼んでいる。

　琉球王府の古謡集『おもろさうし』には、百名浦から久高島に向かってノロ（神女）を乗せた船が漕ぎ出していく情景が美しく謡われている。百名浦は典型的な礁湖（ラグーン）の海である。白砂の渚から沖合約八〇〇メートルのところで、海はサンゴ礁のリーフ（裾礁《きょしょう》）の帯によって、内側の干瀬《ひし》と外側の深海に仕切られている。干瀬の内側は、五色に彩られたサンゴの花畑だ。

サンゴ礁の海は満潮と干潮の差がはげしい。大潮のときなど、干潮になるとリーフの内側は陸にばけて砂原になってしまう。干上がった礁原のところどころにイノーと呼ばれる水たまり（礁池）が残る。新原ビーチから百名浦にかけての海は、大潮の日の引き潮になると海岸線から沖のリーフまで八〇〇メートルから一キロの幅で干瀬ができる。

海ばたの住人は引き潮とともに潮水を膝で蹴りながら沖に向かっていき、三〇～四〇分して干上がったリーフの島に上陸して、海ばたらきをする。リーフの上は格好の釣り場で、子どもたちは色鮮やかな熱帯魚を釣るのに夢中だが、女たちはザルをかかえて貝や海草類を採集し、男たちは蛸の穴をさがして方々を歩きまわる。イノーは魚や貝やタコや海草のなどの宝庫といっていいが、住人にとっては「海の畑」といった感覚である。イノーには地主もいなければ縄張りもない、住民の共有地なのだ。

海ジマの人びとは、今でもイノーからさまざまな恩恵を受けながら日常の食生活をささえている。

「海の畑」も冬季は立入禁止の不文律があって、タコ捕りなどの専業漁師をのぞいて一般住民は海にはいらない。解禁日は慣例として旧暦の三月三日だ。観光ブームのこのごろでは各地のリゾート・ビーチで海びらきが行なわれ、宮古や八重山では南島の地の利を発揮して、三月中旬ごろに全国のトップを切って海開きが行なわれるが、わが村の伝統的な海開きは、旧暦三月三日の「浜下《お》り」の行事が解禁の合図となる。

旧暦三月三日は女の節句で、この日は女性たちが一日仕事を休んで浜に降りて、一年中の汚れを潮水で洗い流すという昔からの行事である。わがムラ（集落）の場合は、ムラ人総出で浜へ下りて車座をつくって女の子の健康祈願を行ない、重箱のご馳走をつきながら歌や踊りで終日遊んですごす。潮時になると人びとは、遊びの輪を解いて家族単位で潮の引いたイノーへ出て、潮干狩りを楽しむ。

旧暦三月三日は年中で最大の干潮日で、宮古の八重干瀬《やえびし》が一年に一度だけ陸地になる日として観光スポットになっているが、伝統的なムラ行事が続いている地域では、この日の浜下りが事実上の海開きになるのである。

イノーの魚は熱帯魚の仲間だから色彩あざやかで姿は悪くないのだが、魚市場に出すほどの大衆魚はとれない。専門のウミンチュー（海人）は、エンジンつきのサバニ（小舟）

をはしらせてリーフの外の深海でカツオやトビウオやマグロなどの回遊魚をねらう。

一九八〇年代はじめごろからパヤオという新式の漁法が開発されて、いまでは沖縄漁業の主流になっている。近海に回遊してくるマグロやカツオが、丸木や板材などの漂流物の下に集まってくる習性を利用して、人工の金属製のブイを設置した浮魚礁のことである。効果がいいので各地の漁業組合の競争になり、いまでは県内に二〇〇基ほどになるという。数キロも沖合に設置してあるので海岸からは見えないが、晴れた夜など向かいの水平線には十数個の標識灯の明かりが、漁《いさ》り火のようにズラッと並んで見える。

7 海の贈り物「ユイムン」

海ジマでは昔からユイムン（寄り物）を歓迎する風習がある。

海の彼方の楽園・ニライカナイから送られてくる恵み物という意味で、時にはイルカの大群であったり、時にはスク（アイゴの稚魚）の群れであったり、あるいは台風で吹き寄せられてきたさまざまな漂流物であったりする。これらはニライカナイの神さまからの贈り物だから島の人びとがひとしく恩恵を受けられるようなルール（掟）がある。

ユイムンといえば名護浦のヒートゥ（ゴンドウクジラ）狩りが有名だが、この頃ではめっきり頭数が減って、おまけに動物愛護思想の高まりも重なって、昔のようなにぎやかなヒートゥ狩風景は見られなくなったようだ。

わが村の百名浦にもユイムンが群れてくる。スクである。

毎年旧暦の五月から六月にかけての大潮の日（旧暦の一日と一五日）に、沖のリーフのあたりから満ち潮にのってスクの群れが押し寄せてくる。海底を白砂でおおわれて黄緑色にかがやく浅海を黒雲のような魚の軍団が浜辺をさして押し寄せてくるのだ。

「スクが寄とうんどー！」という叫び声が、新原《みーばる》の方から段丘の中腹の村々まで伝達されてくると、人びとはザルや魚網をかかえて、一散走りで浜にかけおりていく。

スク漁は時間との勝負だ。スクはリーフの近辺で孵化《ふか》したばかりのアイゴ（方言名エー）の稚魚である。卵から孵《かえ》った稚児は、何万何十万という単位の群れをなしていっせいにイノーめざして寄ってくる。生まれて最初の食餌になるイノーの柔らかい海草を食《は》みに来るのだ。

スク漁は稚魚が草を食むまえにすくい取るのが絶対条件だ。草を食んでしまったスクは、「草食マー」といって腹に臓物ができてしまって価値がない。

とにかく早いもの勝ちだ。新原や奥武島《おうじま》の漁師たちは、サバニ舟をだして袋状のスク網でたくみにスクをすくい取っていくが、ザルや手網をもってかけつけたにわか海人たちは、手作業ですくい集めていく。とにかく魚と人間と、どちらが先手をとるかの勝負になる。

運よく腹のきれいなうちにすくい取ったスクは、たいていは塩漬けにしてスクガラス

（スクの塩辛）になる。スクガラスは島豆腐（沖縄特有の固めの豆腐）にのせて泡盛のつまみとして定番の料理になるが、わが村では取りたてのスクを酢醤油で刺身で食べる。

近年は観光土産品として瓶詰めのスクガラスが出回っているが、それを載せる島豆腐のほうはどこで手に入れるんだろうと、他人事ながら気にかかる。

ヒートゥやスクなどのユイムンは、たまに寄ってくるニライカナイからの贈り物だからこれを専業とするわけにはいかないが、モズク（方言名スヌイ）の場合は一大産業に発展している。

商品化されたモズクとスクガラス

百名浦のモズクも、以前はイノーのサンゴ礁に自生している海草の一種として、地元住民の自給自足の食材にすぎなかったが、復帰後は本土への出荷の道がひらけ、各地の漁業組合が、大規模のモズク網を設置して大量生産を営んだおかげで、全国に出荷されるようになった。百名浦の水面に、ところどころ褐色の斑点《はんてん》が点在しているのがモズ

奥武島のイカ干し。蛸は干さないが、イカは干す。

クの養殖網で、専用のモズク船がやってきて機械で海中のモズクを吸い上げて収穫している。

蛸《たこ》捕りを生業にしているウミアッチャーもこのごろでは少なくなってきた。イノーには小型のシガイ蛸と、大型の真蛸の二種類が棲息している。大潮の夜に満月が頭上にのぼるころ、イカランプという筒状の石油ランプをともして干上がった海底を歩き回ると、岩礁の穴から出て月夜の散歩（？）を楽しんでいるシガイ蛸に遭遇する。

これを銛《もり》で刺せばいいので、素人でも捕れる簡単な漁である。私自身、少年時代に一晩で五〜六匹の手柄をあげた記録がある。

だが、大物の真蛸の場合はそう間単にはいかない。これは水面下の岩礁の穴にひそんでいる真蛸を、二本の銛をたくみにあやつって外にさそいだして生け捕りにする漁だから、あらかじめ蛸の穴の位置を覚えておかなくては漁にはならない。

蛸穴は水面下の岩礁にかくれているので見つけるのは容易でないが、同じ穴に次々と新しい獲物が棲みつくので、十数カ所の穴を巡回すればたいてい数匹の成果は期待できる。それだけに、自分が見つけた蛸穴の場所は他人には絶対に教えてはならない。蛸穴の情報はウミアッチャー（海人）にとっては財産と同じだ。だから穴巡りをするときはたとえ息子であっても同行をゆるさない。

蛸捕りは孤独な稼業だ。だが、例外もある。

ある蛸捕りのお爺ぃが、娘を嫁に出すのに持参金を持たせてやることができない。思いあまって婿になる青年をイノーに連れ出して、自分の縄張りの秘密の蛸穴をいくつか教えて持参金のかわりにしたというのだ。

みんなが食べることに必死だった、終戦直後の貧しい時代の話である。

8 海ゴーゴーと空ゴーゴー

本土から飛来してくる旅客機は沖縄本島に近づくと急に高度をさげて飛ぶので、色あざやかなサンゴ礁の海にいだかれた島々のたたずまいを、手に取るように眺めることができる。時によってはわが家の上空を飛んで那覇空港へ降下していくので、庭で遊んでいる子どもたちまで目視できるほどの低空を飛んでいる。ある旅行者がこの低空飛行を沖縄観光のサービスの一種と勘違いしたという笑い話があるが、実はこれこそ「基地の島」の特殊事情によるものだ。

沖縄本島周辺の上空は、嘉手納《かでな》ラプコンとよばれる広大な空軍訓練空域に設定されていて、沖縄本島と久米《くめ》島を中心に高度二万から五千フィート、半径約八〇キロの範囲に軍用機優先の空域が設定されている。極東最大の米軍嘉手納基地や海兵隊普天間飛行場から離着陸する軍用機が、那覇上空六〇〇メートルの高さを通過するので、民間機は腰をかがめ

◆米軍の訓練空域・水域

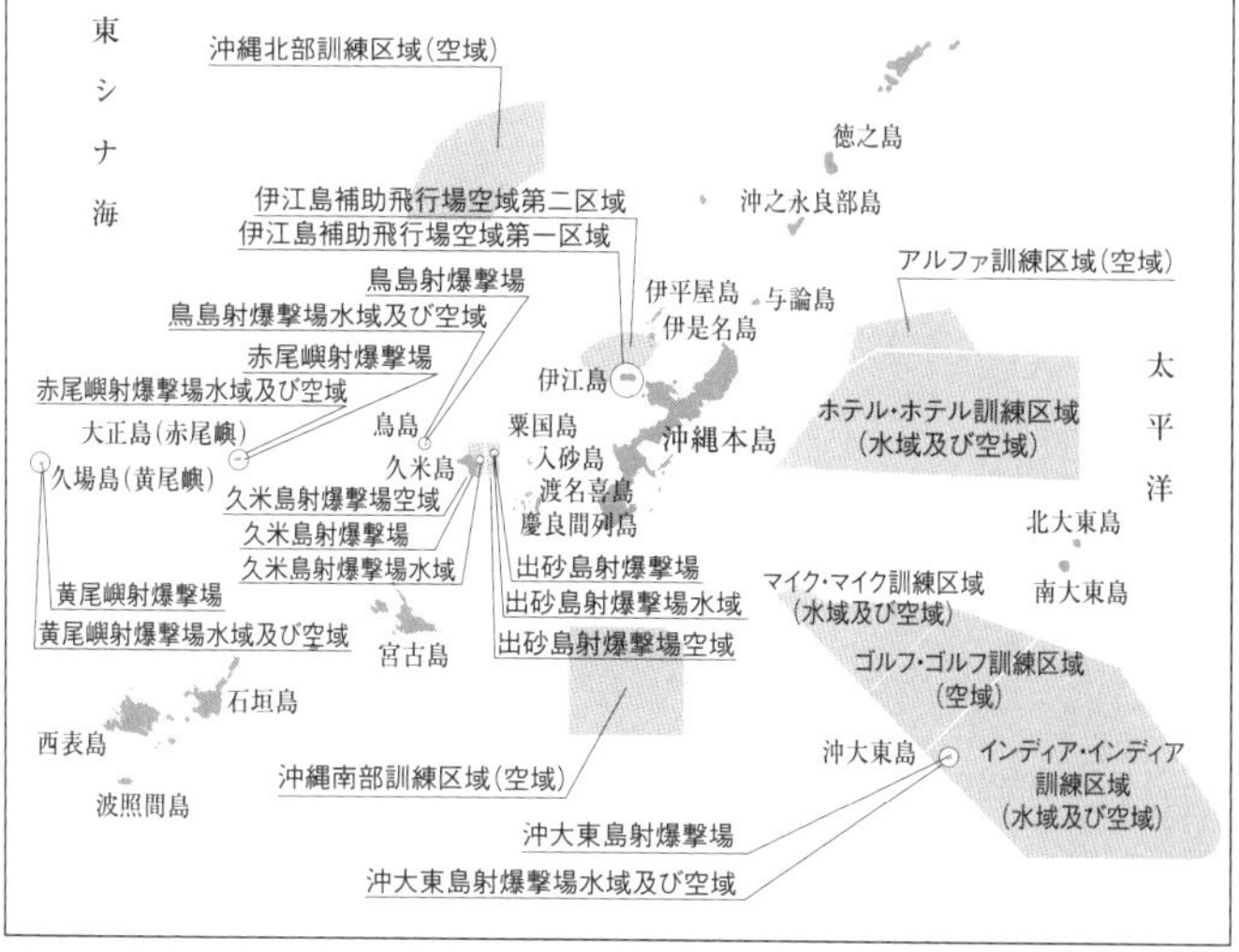

るようにして高度三〇〇メートルを超低空で通り抜けなければならないというわけだ。

　五色に彩られたサンゴ礁の海を上空から手に取るように眺められる観光客には思いがけない贈りものだろうが、操縦席のパイロットにとっては、極度の緊張を強いられる五分間だという。

　紺碧《こんぺき》に輝くサンゴ礁の海も、けっしてロマンチックな平和な海とはいえない。そこにも嘉手納ラブコンを飛び回る米軍機や航空自衛機の訓練場がひろがっている。沖縄南部訓練区域、沖縄北部訓練区域、ホテル・ホテル訓練区域、マイク・マイク訓練区域など海上での射撃・爆撃演習場が設定されていて、訓練期間中は漁船の立ち入りも制限されるうえ、時間の制限もなく昼夜にわたって爆音をまき散らしている。

わが百名浦《ひゃくなうら》の沖合にも、「マイク・マイク水域及び空域」と「沖縄南部訓練空域」と称する射爆演習場が設定されていて、演習のある日は新原《みーばる》ビーチ（百名浦）の沖合を戦闘機や攻撃用ヘリが轟音たてて往来するのが見られる。オスプレイ配備問題で全国的に反対運動が高まっていた二〇一二年八月初め、もうひとつの危険な飛行訓練による轟音で、夜中にとび起きた私自身の体験がある。

蒸し暑い夜中の二時から三時ごろのことである。突然、「ドーン！」という爆発音が寝ている頭上に落ちてきた。一回、二回、三回と次つぎ襲ってくる。何事か、と目は覚めながらもまだ意識は夢をみていた。夢と現実が混沌《こんとん》とするなかで、「海ゴーゴーが来た！」と無言で叫んでいた。

幼少のころ、海ゴーゴーというのはおそろしい存在だった。沖縄は台風銀座といわれるだけあって毎年二、三の台風が直撃してくる。まだラジオもテレビもない時代だったから、子どもながらも自然界の異変で台風の接近を予知する習慣ができていた。

「風吹きトンボ」と呼ばれる赤トンボの群れが暴風（台風のこと）の前ぶれであった。暮れ近くになると「風夕焼け」といわれる異常な夕焼けが、西の空を真っ赤にそめる。やがて夜になって寝るころには、沖の干瀬《ひし》（リーフ）のほうからゴーゴーという潮鳴りがきこえてくる。終戦直後のテント小屋と掘立小屋の時代だから台風のおそろしさには子どもながらに不安がつのる。

母が「アネアネ（ほらほら）、海ゴーゴーがくるぞ。はやく寝ないと海ゴーゴーにもっていかれるぞ」と叱りつける。私は配給の米軍毛布にもぐって耳を押さえていた。海ゴーゴーがものすごく怖かった。

その海ゴーゴーが夢うつつのなかに二回、三回、四回とくりかえし襲ってくるのだ。思わずはねおきてみると、轟音は止んでいた。轟音の正体が判然としないうちにまた眠気に襲われてしまった。


翌日の新聞を見てゴーゴーの正体がわかった。二〇一二年七月末から嘉手納基地にステルス戦闘機Ｆ22が一二機（一個飛行隊）、六カ月間の予定で暫定配備され、予告なしに沖縄近海の訓練場で深夜訓練を行なっていたのだ。嘉手納基地から南部訓練空域の訓練場に向かうには、わが家の上空を低空飛行していくのである。

このステルス戦闘機は、二〇〇八年四月以来二五件のトラブルを起こして、二〇一一年五月に飛行停止と制限飛行に追いこまれたいわくつきの戦闘機であった。敵のレーダーでもとらえにくい最新型の戦闘機で、本国以外では嘉手納基地だけに配備されているという。 こともあろうに全国的にオスプレイ配備反対運動が高まっている最中に、ドサクサまぎれにこの危険な新型機で深夜訓練まで強行するとは、あまりに県民を愚弄《ぐろう》した仕打ちといわねばならない。

当然、周辺市町村議会は抗議決議を行ない、訓練中止を米軍と政府に要請したが、沖縄防衛局からは事前に何の連絡もなく、抗議を受けて事実を認めるだけだった。この冷淡な日本政府に歩調を合わせるかのように、本土のメディアもほとんど報道しなかった。

私はその不気味な黒い忍者戦闘機に、怒りと憎悪をこめて「空ゴーゴー」と命名した。

9 日本の春は琉球ゴルフ倶楽部から

今年もまた春の訪れを呼ぶダイキン女子ゴルフのトーナメントがわが村（南城市玉城）の琉球ゴルフ倶楽部で開幕した。私も玉城園地の地主会から会員優待券をもらったので観戦に出かけた。ゴルフのことはまったくの門外漢だが、タンポポやスミレが咲きそろった園内をギャラリーの末尾について歩くだけで、心身ともにリフレッシュできた。

二〇一二年は最終日、通算一三アンダーで並んだ森田理香子と横峯さくら二人のプレーオフ戦の結果、森田が優勝を制した。期待した県勢は、宮里藍が思わぬ交通事故で欠場、宮里美香や諸見里しのぶもふるわず、女子ゴルフ王国の真価を発揮できなかったことは物足りなかったが、全国にさきがけて陽春の光と風を沐浴できただけでも満足だった。

ところで、話題はここで一転する。

琉球ゴルフ倶楽部ゴルフ場

わずか四〇〇坪ほどの土地とはいえ、私にとってこの琉球ゴルフ倶楽部の園地の地主であることをいささか誇りに思っている。理由は、この土地の歴史にある。戦前ここには小さな二つの集落があった。沖縄戦で米軍の野戦部隊がここを占領してキャンプを設置した。その後いくたびか部隊の交替があって、一九五一年、朝鮮戦争の最中に移動してきたのがCSG（混成サービスグループ）と称する秘密部隊であった。

基地の性格や目的などは極秘で、軍作業員（軍雇用員）の採用にあたっては厳重な思想調査と身体検査が行なわれた。作業員は身分証明のパスを示してゲートを出入りするが、決められた区域以外に立ち入ることは禁止されていた。奥まったところにZエリアといわれるフェンスに囲われた建物があって、朝鮮戦争のころは中国人らしい男たち、ベトナム戦争のころはベトナム人らしい男たちの姿をかいま見ることもあった。隔離されたエリア内では捕虜の尋問が行なわれたり、スパイ要員の訓練が行なわれていると噂されていた。

軍作業員たちの仕事は密閉された棟内での梱包作業が多かった。郵便小包ほどのケースの中に、万年筆型のピストルとか折りたたみ式の特殊銃や携帯食料やコンドームなどを詰め込み、ボックスごとにパラシュートがつけられる。梱包された特殊兵器は深夜にトラックで嘉手納基地まで運搬されていく。おそらくベトナムやラオスなどのジャングルに投下されて秘密工作員のゲリラ活動に使用されるのだろうとささやかれた。

ＣＳＧ部隊の存在は、知念半島地域にとっては最大の職場であり地域経済をささえる大きな柱になっていた。その頼みの「基地産業」がＣＳＧ部隊とともに消滅する日がやってきた。七一年六月、沖縄返還協定が調印された直後に『ニューヨク・タイムズ』紙が、米国防省のベトナム秘密報告書のなかにＣＳＧ＝知念キャンプがＣＩＡ（米国中央情報局）の秘密基地であることを暴露したのだ。

この報道がきっかけになって、沖縄返還協定をめぐって与野党が激突した「沖縄国会」

でもCSGとVOA(「アメリカの声」放送局)の違法性が追求され、ついに政府も折れて沖縄に存続される「基地リスト」からこの二つの謀略基地を削除し、CSGは復帰とともに閉鎖、VOAは五年以内に撤去ときまったのだった。

七二年三月一日付でCSGの従業員全員に「人員整理予告通知書」が届けられた。復帰前日の五月一四日付でCSGは閉鎖され、従業員約六〇〇人は全員解雇されることになった。日本復帰にともなう「復帰混乱」は各方面で深刻な波紋をひろげたが、わが村にとっての最大の復帰混乱の震源地がCSGであったのだ。

CSG基地の閉鎖は、軍用地主としていくばくかの軍用地料を受け取っていた地主にとっても大きな打撃だった。基地が閉鎖されて軍用地が元の地主に返還されるとしても、今ごろ500名余の地主に細切れに返還されたとしても利用価値はほとんどない。

そこで地主たちは集まって議論して知恵をしぼった。沖縄各地で政府の振興開発計画や海洋博ブームに便乗した軍用地の売買や埋め立て工事や工場誘致などが加熱していたが、わがCSG跡地の地主たちは、沖縄の自然と文化とチムグクル(肝心=心の奥底にひそむ想念《おもい》)を活かした観光産業の開発に将来の夢をかけた。地主たちは地主会に結集して株式会社玉城園地を立ち上げて今日の全国に誇れるゴルフ場を支え続けているのである。

政府は公共事業費をつぎ込んで大型開発や基盤整備事業などを誘導したが、工場誘致はほとんどが失敗、公共事業につぎ込んだ事業費もおおかたは本土ゼネコンに吸い取られて本土に逆流、「県民所得本土並み向上」のうたい文句は、現在でも相変わらずの全国平均七〇数パーセントに低迷するなかで、わが玉城園地地主会が選択した道は、沖縄の将来を軍事基地から平和産業へ転換させる見本になるのではなかろうか。

10 沖縄の墓はなぜ大きいのか

四月（旧暦三月）に入ると南島では初夏の微風が吹きはじめる。暦のうえでは二十四節気の清明節に入り、郊外の野山に点在する門中《むんちゅう》墓の墓庭では賑やかなシーミー行事（清明祭）が催される。清く明るい日ざしをあびながら墓前にビンシー（瓶子）や重箱をひろげて墓参を済ませると、あとは広い墓庭を囲んで門中一族が酒肴をひろげて墓前祭となる。

門中というのは、共通の先祖をもつ父系血族集団のことで、たいていは門中墓という共同墓をもっている。ちなみに我が家が属している門中には七〇世帯三四八人が登録されており、ふだんはほとんどが顔も知らない他人であるが、いずれあの世で一つ屋根の下で暮らすことになる親族である。だから門中社会の沖縄では、「知らぬ人とケンカするなら相手の門中を確かめてからやれ」という笑い話もある。

亀甲墓前での一族交流の墓前祭

ところで、はじめて沖縄を訪れる旅行者の目を驚かせるのは、山野に点在する墓の大きさと形だろう。巨大墓にも破風《はふ》型と亀甲《きっこう》型の二種類がある。破風墓は死者たちが住まう御殿を模したもので、歴史的にはこちらのほうが古いといわれる。首里城の向かいにある王家の墓陵「玉陵《たまうどうん》」が典型的な破風型で、世界遺産「琉球王国のグスク及び関連遺産群」の一つに加えられている。

一般に珍しがられるのは亀甲墓《かめこうばか》のほうだ。形が亀の甲羅に似ているのでそう呼ばれているが、もともとは母親のお腹を模したもので、「人は死ぬと再び母胎へ戻っていく」という帰源思想を表しているという。高度な建築技術を要する石造墓は琉球王国時代に中国から伝わったもので、今でも福州（福建省）あたりでは亀甲墓とよく似た墓が見られる。

ところで、大陸文化の影響は巨大墓の容れ物だけではなかった。死者の遺体と霊魂を取り扱う葬制はもっとも基本的な文化様式だといわれるが、戦前まで沖縄社会で一般に行なわれていた「洗骨《せんこつ》」の習俗もその一つだ。沖縄の墓が大きい理由の一つは洗骨儀式に必要な広い墓庭が必要だったからでもある。

洗骨の習俗は、中国南部をはじめ、韓国、台湾、ポリネシアなど環太平洋一帯でひろく分布し、先進文化の一つとして琉球（沖縄）にも導入されたものだといわれるが、なぜか日本本土には伝わらなかったようだ。

洗骨のことを民俗学では「複葬習俗」というようだが、死者の遺体は二度にわたって遺族の手で清められるという意味らしい。私も終戦直後の少年時代に一度だけ洗骨の現場を見たことがある。

第一次葬では、墓口（入口の石扉）を開いて墓室の入口のところに白木の棺《ひつぎ》のまま安置しておく。第二次葬では次の死者が出たとき、墓口を開けて前の棺を墓庭に出して新しい棺と入れ替える。墓口を開けたり新旧の棺を入れ替えたりする力仕事は男たちの役目だが、墓庭に出した棺から朽ちた遺骨を取り出して泡盛や水で洗骨するのは、身内の女性たちの役割である。

洗い清めた遺骨を陶製のジーシガーミ（厨子甕）に納める第二次葬は、近親の女性だけに許された神聖な儀式であって、男たちは周囲から見守るだけで手出しは許されない。女性を神聖視した古代的な習俗なのだろうが、本人たちに言わせると二度とやりたくない苦役だったという。

洗骨の風習は火葬場のない離島などでは戦後もしばらくは残っていたようだが、現在ではほとんど見ることはできない。

沖縄の女性たちが洗骨という古代的な儀式から解放されるには、いくたびかの世替りを経なければならなかった。

第一の波は、一九三七（昭和一二）年、日中戦争がはじまったのが発端であった。政府は国民を戦争協力に動員するために、国民精神総動員運動を開始した。沖縄県の場合は、明治以来のヤマト化・皇民化の方針のもとに「標準語励行運動」と「風俗改良運動」が二大運動とされた。風俗改良運動のターゲットにされたのがユタ（巫女）と洗骨で

コロナ禍前の清明祭光景

あった。
沖縄県警察部は「山野に夥《おびただ》しくみえる大きな墓地は、経済、風致保存、消費節約が叫ばれている折、国民精神総動員の建前からも是非改善に乗り出す考えである」という方針を発表し、ただちに次のことを実行に移した。
①埋葬の風習を馴致《じゅんち》するように徹底させる。
②火葬場の設置に努《つと》むること。
③洗骨の風習は努めて之を廃止すること。
しかし、国や県からの強い指導にもかかわらず実際に火葬場を設置した市町村は、西原村の一村だけだった。どこの市町村も戦時統制経済のもとで財政難と物資不足と食糧難にあえいでいる状態で、とても火葬場の建設どころではなかったのである。皮肉にも、各地

に火葬場が設置されたのは「アメリカ世《ゆー》」が到来してからである。

沖縄全域を占領して軍政を布いた米軍は、アメリカ民主主義の見本として沖縄女性にも参政権を与えるとともに、彼女たちを「封建的悪習俗」から解放すべく各地に火葬場を設置することを奨励した。基地周辺の環境衛生の浄化というねらいもあったのだろうが、いずれにしても永年の苦役から解放された女性たちにとっては歓迎すべきことであった。

ところが洗骨習俗がなくなったとはいっても、広い墓庭が無用になったわけではない。墓の形も大きさも時代とともに簡素化されつつあり、とくに一九七二年の復帰後は、本土なみの家族墓や団地式墓苑なども増えつつあるが、変わらないのは門中の強い同族意識と清明祭《シーミー》の賑わいである。

今年もあちこちの大きな墓の広い墓庭で、門中一族がそろって酒肴を交わしながら歓談している光景が見られた。かつての洗骨儀式の墓庭は、いまでは一族交流の場として子孫に受け継がれているのだ。

沖縄独特の血縁で結ばれた横型社会の絆は、まだまだ健在である。

11 本場・綱引き行事の場景

沖縄の夏の名物は綱引きである。旧暦六月一五日（新七月二二日前後）のウマチー綱からはじまり、八月一五日（九月一九日前後）の十五夜綱まで、二〇〇カ所もの町や村で催される伝統行事である。

綱引きの本場だけあって那覇大綱引きの全長二〇〇メートルの大綱はギネスブックで世界一の認定を獲得している。このほか、首里の綾門《あいじょう》綱や糸満や与那原《よなばる》の大綱が有名だが、これら町方の大綱は、われわれ田舎綱の伝統を墨守《ぼくしゅ》している者のひがみからいえば、「大きいだけがいいわけないよ」といいたくなる。

論より証拠、那覇大綱の原形は、薩摩支配の王国時代に那覇にあった薩摩在番奉行の接待用として、王府認可ではじまった伝統催事だったのが沖縄戦でとぎれてしまったのを、市制五〇周年の一九七一年に、戦後復興の記念行事として毎年一〇月一〇日、那覇大空襲

（十《じゅう》・十《じゅう》空襲）の記念日に催すことになったのである。

それが種々の事情から、いつの間にか体育の日（現在は一〇月一〇日ではなくなったが）にあわせて開催されるようになり、十・十空襲との因縁はすっかり忘れ去られてしまい、一種の観光行事に化した観がある。ほかの町方の大綱も似たりよったりで、観光客に都合のよい昼綱がほとんどである。ひるがえって、伝統的な田舎綱は、夜に行なわれることが多い。なぜなら、昼間は昼間の神事行事が村をあげて行なわれるからである。


先に「沖縄人のルーツと稲の伝来」という題で、わが村（南城市百名仲村渠《なかんだかり》）の田植え行事（二月二一日）のことを書いたが、それから半年たって一期作の稲が収穫され、次の二期作の田植えにかかる旧暦六月に、わが村の綱引きが催される。

旧暦六月一五日は「ウマチー綱」、旧暦六月二五日は「アミシ綱」と、続けざまに綱引きが二回行なわれる。綱引きはあくまで奉納綱であって、主体は昼間に催される稲作にまつわる農耕儀礼である。

旧歴六月一五日の「六月ウマチー（稲大祭）」は、昼間のうちに区長や祭祀委員が集落内の六カ所のウタキ（御嶽）やヒヌカン（火神）を巡拝して、神々に稲の収穫を報告し豊作の御礼を述べる。

旧暦六月二五日の「アミシヌ御願（雨乞い祈願）」は、二期作の田植えにむけて雨乞いを祈願する祭祀である。

やはり区長・祭祀委員が集落内の神々にウガン（御願）を捧げるのだが、拝む場所は御嶽のほかにカー（井泉《せいせん》）の神々を拝むのが眼目である。「稲が順調に育つように大雨を降らしてください」とカーの神々に祈願するのである。

昼間の神事行事が終わって暗くなると、いよいよお待ちかねの綱引きということになる。「ウマチー綱」は、収穫がはじまったばかりの新米を捧げる行事で、まだ収穫がすべて終わったわけではないので、稲藁も少なく、綱も小さい。大人たちは稲刈りで疲れているから子どもたちだけで引くところもある。ミーメー綱（新米綱）とかワラビ綱（童綱）と呼ぶところもある。

従って、村人総出の大綱引きは「アミシ綱」ということになる。昼間の神事がすんで暗くなるころ、公民館まえの綱引き場にドラ（銅鑼）の響きにせかされた村人たちが集まりだし、上組と下組にわかれて、早くもガーエー（デモンストレーション）がはじまる。

老女たちがツヅミ（鼓）を打ち、少年たちがホラ貝を吹き鳴らし、音頭とりが銅鑼《どら》やカネ（鉦）で調子をとりながら、数十人の女たちが円陣をくんで踊りまくる。これに六尺棒をもったニーセー（青年）たちの棒踊りも加わり、テービー（手火・松明）の火の粉を浴びながら、群舞はえんえんと続く。

南城市百名仲村渠の綱引き

広場の片隅には「五雨十風」「四季順和」「豊年満作」などと書かれた旗頭が立ち並び、片隅では手作りの甘いウンシャク（神酒）がふるまわれる。やがて鳴り物の調子が変わり、いよいよ綱が動き出す。上組から雄綱が、下組から雌綱が、それぞれ輪形のカナチをもたげて、鉦鼓《しょうこ》のリズムに合わせて上下に揺らしながらゆっくりゆっくり接近していく。

カナチは男女のシンボルだ。上組の雄綱はやや細長く、下組の雌綱はひとまわり大きな輪になっている。やがて両者が出会い、雌綱のカナチに雄綱のカナチが入り、すばやくカナチ棒（貫棒）が差し込まれる。雌雄の結合は稲の豊穣を象徴する厳粛な予祝《よしゅく》行事なのだ。

いよいよ勝負開始の銅鑼が鳴りひびく。テービー持ちが松明の火の粉をまき散らして、見物人たちをわが陣営の綱に追い立てる。高みの見物は許されないのだ。綱ひきの勝敗は稲の豊凶にかかわる真剣勝負なのである（上組も下組も、ともに自陣の勝利が豊作をもたらすと信じているのは解《げ》せないが）。

勝負がはじまっても、運動会の綱引きのように、ただ後ろへひっぱればいいというものではない。鉦鼓の拍子にあわせて一抱えもある重い綱を、呼吸を合わせて上下にゆするのがコツである。全員が呼吸を合わせリズムを合わせて上下動を首尾同調させると、重たい綱が自然に後ろへ後ろへと動いていくものである。

綱引きは稲の豊凶を占う神事だから、本来は一回きりの真剣勝負であったはずだが、このごろは二回戦までやるようになっている。二回戦では、先に勝った方が寛大に力をぬいてやるから、勝負は一対一で引き分け、どちらも勝ったのだから豊作はまちがいなし、ということにしている。

少なくとも子どもたちはそう信じているようだ。

12 「琉球の宝石」誕生のルーツ

二〇一四年春、琉球放送（RBC）テレビの番組審議会で、「工芸ガラスから生まれた琉球の宝石」というドキュメンタリー番組が取り上げられた。九州・沖縄のTBS系各局の競作による「世界一の九州が始まる！」への参加作品である。

世界一の沖縄工芸なら、琉球陶器、琉球漆器、宮古上布《じょうふ》、八重山上布、喜如嘉《きじょか》の芭蕉《ばしょう》布、びん型、久米島紬《つむぎ》、読谷山花織《よみたんざんはなおり》、首里の織物などが無形文化財「工芸技術」として国や県の指定になっており、代表的な作品はエルミタージュ美術館やニューヨーク美術館などにも展示されるほど〝世界一〟の座を占めている。

ガラス工芸といえば観光土産品しか知らないわれわれ審議委員たちはたいした期待もしないでDVDを観たのだが、一五分番組を観たあとは目からウロコがおちた。

「琉球の宝石」とは、正式名称は「ジョイア・デ・レキオ」という国際的ブランド名の

琉球ガラス工房

訳語なのだ。ヨーロッパではベネチアングラスのように「ガラスジュエリー」は国際的に知られた宝飾品の一般的名称だという。琉球ガラスの職人たちもベネチアングラスのような世界に通用するガラスジュエリーが出来ないものかと研究に取り組んできた。それまでの琉球ガラスは、原料ガラスの性質や製造技術などに問題があって繊細な加工技術を要する宝飾品には不向きと考えられていた。だが、昔から沖縄の職人たちには「無から有を産みだす」という知恵と精神が一貫していた。

　七年間の試行錯誤のすえ、ついに世界に通用する「琉球ジュエリー」を産み出したのだった。いまでは本土にもギャラリーをかまえ、海外の展示会にも積極的に参加して世界に通用する「琉球ガラスジュエリー」のブランドを発信しているという。

この番組に刺激された私は、糸満市福地の「琉球ガラス村」を訪ねてみた。場所は喜屋《きゃ》武《ん》岬の戦跡公園にほど近い国道331号線沿いに位置している。広い園内にはガラス工房やショッピングセンターやオリジナル製作体験教室などが立ち並んでいるが、初めての私にはガラスギャラリーを見学するのが精一杯だった。琉球ガラスの名工たちの作品を展示した資料館の中はまばゆいばかりの色彩の洪水だった。この色彩の輝きが琉球ガラスの特色だと一目で納得できた。

琉球ガラスのグラス

ところが、私がもっとも興味をひかれたのは華やかな色彩ガラスの群像とはまるで正反対の展示ケースだった。展示室の片隅にひっそりと並べられた透明なコーラ—瓶と手作りのガラスコップ。コップには「コカコーラ瓶底コップ／一九四五〜五〇年代」と、コカコーラ瓶には「瓶底コップの素材となったボトル」のラベルがついていて、両者の関係は「捕虜収容所を中心にコカコーラの空瓶で作られた」と説明されている。これこそ今や世界に雄飛しようとして

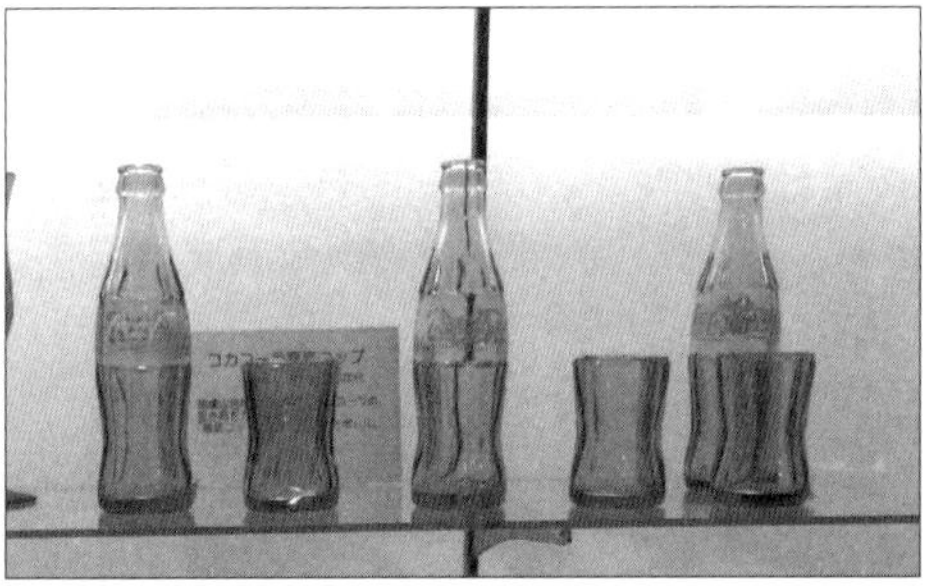

コーラ瓶底のグラス

いる琉球ガラス工芸のルーツであったのだが、周囲の展示品の色彩の洪水に圧倒されて、この貴重な歴史資料に注目する人は少ないようだ。

第一に、工具も設備もない避難民収容所のなかで、どうやってコーラー瓶から瓶底のコップを切断したのか、肝心の工法の説明などは一切ない。「ここはわれわれ体験者の出番かもしれない」と思った。というのは、じつは私自身が小学生のころコーラーコップを製作した実績があるのだ。以下は、そのころの話にさかのぼる。

三カ月におよぶ激しい地上戦闘で沖縄本島は廃墟と化していた。生き残った人びとの生活はすべてがゼロからの再出発であった。衣食住はすべて米軍の救援物資に頼るしかなかった。子どもたちは道ばたに立って通り過ぎる軍用トラックのＧＩ（米兵）たちに手を振って「ギブミー！ギブミー！」と物乞いするのが日課になっていた。運がよければトラックの上からチョコレートやチューインガムなどが降ってくるのだが、たまにコカコーラの空瓶が降ってくることもあった。子どもたちはそれを奪い合った。空瓶でもいろいろ日常生活に応用のきくアメリカ文明の産物なのだ。

そのうち誰か知恵のある人がこの空瓶からガラスコップを切り出す技術を発明して世間に広めたというわけだ。「技術」とは大袈裟で、われわれハナタレ小僧にも真似のできる簡単な工法だった。

一説によると、コカコーラ瓶の形は婦人のボディラインを模したもので工芸デザインの傑作といわれている。くびれた腰のぐるりを一本の細い溝の線がとりまいている。この溝の部分に針金をまきつけて前後にしごくと摩擦熱が生じてだんだん熱くなってくる。摩擦熱がある温度に達したところでサッと冷水に突っ込むと溝の線の部分できれいに二つに割れるのである。

切り口を紙ヤスリなどで均すと完成、大げさに言えば、沖縄ガラス工芸史の夜明けを飾る作品の誕生であった。

私はこの少年時代の経験を、基地の街コザ（沖縄市）の児童保護園を描いた市民ミュージカルの舞台で再現しようと試みたことがある。ミュージカル『コザ物語』（ふじたあさや演出／嶋津与志脚本）は〝沖縄の福祉の母〟とたたえられる島マスを主人公にして、終戦直後の基地の街の子どもたちの姿をえがいたものだが、劇中で「お母さん」と呼ばれている主人公と児童保護園の子どもたちが生活道具をこしらえる共同作業の場面がある。
作業風景は演出の都合で歌とダンスで表現することになったが、戦後初のガラス工芸品の誕生が次のようなコーラスとダンスで表現される。

♪（合唱）スクラップを拾おう　くず鉄を集めよう　イクサ場の跡はスクラップの山だ
　　スクラップの山はお宝の山だよ　沖縄の山は宝の山だ
♪（先生）頭をしぼれば知恵が出てくる　知恵をしぼれば発明が生まれる
♪（合唱）スクラップを生かそう　生活道具をつくろう　イクサを平和でリサイクル
♪（子ども1）コーラー瓶を切ってコップをつくった！
♪（子ども2）砲弾殻から花瓶ができた！
♪（合唱）スクラップを生かそう　生活道具をつくろう　イクサを平和へリサイクル！

（以下、省略）

ちなみに琉球ガラス村展示の「琉球ガラス工芸年表」のなかから印象的な項目を引用させていただく。

一九五〇年　沖縄硝子製造所、設立。
一九六七年　沖縄物産センター「沖縄の伝統工芸品展」に琉球ガラス作品出展。
一九八五年　琉球ガラス工芸協業組合設立。
一九八六年　県内産の鉱物資源がガラス原料として開発される。
一九八七年　琉球ガラス村で廃ビン・ガラスの材料の使用を中止し、本来の原料に切り替えた。その一部に県内産の石灰を使用。
一九九八年　沖縄県が琉球ガラスを伝統工芸品に認定。

13 泡盛雑話三題

【1】古酒づくりの秘伝

本土の客人から、「沖縄土産に泡盛を買って帰りたいがどの銘柄がお勧めですか」ときかれることがある。「銘柄はどちらでもいいから一〇年以上の古酒《クース》をお買いなさい」と勧めることにしている。

島酒《しまざけ》（泡盛）の値打ちは年数できまるのだ。古酒泡盛は時間の結晶体である。何十年何百年の歳月をへて神秘的な風味を宿した古酒が、戦前の旧家には大事に蓄えられていた。だが蓄え放しでは「飲めない酒」になってしまう。飲めない酒は酒ではない。

このジレンマを解決する妙手を古人たちは発明した。仕次《しつぎ》という手法（技術）である。

数個の酒甕《さけがめ》を古い順に並べておいて、一番目の親甕（アヒャー）から一杯の酒をくみ取ると、二番甕から一杯分を親甕に注ぎ足していく。二番甕には三番甕からと、次々に補っていくのである。

　年代物の古酒にいきなり新酒をまぜると風味を損なってしまうが、古い順に少しずつ足して混ぜていけば古い方へ同化していき、親酒は年々年数を重ねていき古酒独特の柔らかな風味が増していく。もちろん最後尾の甕には新酒が注ぎ足されるわけだが、この方式でいけば親甕の酒は年々熟成を増して何百年もの神秘的な古酒に成熟していく。

ズラリと並ぶ銘酒・泡盛

　実際、戦前までは数十年も熟成された古酒を伝える旧家がすくなくなかった。

　琉球最後の国王・尚泰《しょうたい》の血をひく尚順《しょうじゅん》男爵の御殿には、康熙《こうき》年間（中華年号・一七〇〇年前）から仕次されてきた「康熙の御酒」の銘をもつ古酒が伝わっていたという。

　だが、一九四五（昭和二〇）年夏の沖縄戦で男爵一家は全滅し、自慢の古酒も命脈を絶ってしまった。

【2】生き残っていた黒コウジ菌

泡盛は、日本全国どこでも真似のできないユニークな地酒である。

泡盛の産みの親は黒コウジ（麹）菌だ。原料はタイ産のシャム米で、沖縄だけに特別に輸入が認められている。原料米のデンプンをブドウ糖に糖化させる働き者がコウジ菌だが、泡盛用の黒コウジ菌は一般の黄コウジ菌とはまるで異なる品種で、世界中の酒造にも例がないという。

黒コウジ菌は沖縄の気候風土が育ててきた島の宝といってよい。この大事なコウジづくりを一手に受け継いできたのが造酒屋のアンマー（主婦）たちであった。本土の杜氏《とうじ》と沖縄の刀自（トゥジ＝主婦）とは語源はひとつといわれる。古代的な女系社会の伝統が沖縄の造《つくり》酒屋ではまだ健在だったのだ。

沖縄戦で、泡盛の歴史にも未曾有の危機が襲ってきた。首里城のほとりに密集していた泡盛の里・赤田町は全滅、先祖代々造酒屋が大事に伝えてきた黒コウジ菌も絶滅したかに思われた。

終戦後、避難民収容所から引き揚げてきた赤田の人びとは、ガレキの原と化した酒屋の跡を血眼になってさがしまわった。すると、焼け土になかば埋もれていた一枚のムシロが目にとまった。掘り出してみると、ムシロの裏に一片の黒コウジの滓《かす》がこびりついていた。これを大事に持ち帰り、配給米を蒸してその上にコウジ滓を移してみると、数日して青黒いコウジ菌が生えてきた。

黒コウジ菌は、あの鉄の暴風の中を奇跡的に生きのびていたのだ。沖縄の伝統的な銘酒・泡盛が、不死鳥のごとく再生した瞬間だった。

【3】酒器の今昔

酒に器はつきもので、盃や瓶子《ビンシー》や銚子《ちょうし》などの酒器に工芸の粋をつくした名器が多い。銘酒泡盛の名を広めた陰の功労者に壺屋焼の陶器があった。なかでもダチビン（抱瓶）は琉球陶器の傑作といわれ、本土のフクベ（瓢箪）やトックリ（徳利）とくらべても、美術的価値は数段まさるとうぬぼれてよい。

ダチビンの形は、大きくは三日月型と面取型の二種になるが、壺屋《つぼや》や読谷の陶工たちはダチビンにあくなき情

琉球陶器の傑作といわれる抱瓶

熱を傾け、さまざまな技法をこらして、多彩な工芸品を産み出した。携帯用酒器という機能が泡盛の庶民性とマッチしているし、線彫りや象嵌《ぞうがん》や染付けや流釉《ながしぐすり》などをほどこした技法の精巧さが、泡盛の品位を高める働きをしている。

もっとも、戦前の泡盛はすべて計り売りであって、ビン詰めにして銘柄（ラベル）をつけるようになったのは戦後のアメリカ世になってからである。

沖縄にガラス工芸が出現したのは、先に「『琉球の宝石』誕生のルーツ」で述べたように戦後のことで、そのルーツはＧＩたちが投げ散らしたコカコーラの空ビンであった。

その後、これを加工して花瓶やコップや食器類を製造したが、設備や技術がいまいちでガラスの中にアブク（水泡）ができてしまう。本来なら不良品として見向きもされないところだが、物好きなアメリカ婦人たちが珍しがって沖縄土産に買って帰るようになった。

今や、アブク入りの「オキナワガラス」の器で泡盛のオンザロックを賞味するのが、若い観光客たちの「沖縄体験」の一コマになっている。

14 山羊《やぎ》と島豆腐の災難

一九七二年の本土復帰（施政権返還）で、沖縄社会はさまざまな「復帰ショック」を体験した。

ドルから円への通貨切り替え、交通規則の左側通行から右側通行への変更、物価高騰、農地法の適用による土地問題など「世替り」の嵐が吹き荒れたなかで、沖縄が誇る伝統的な琉球料理をも圧殺しかねない「悪法」二例を、俎上《そじょう》にのせておきたい。

まず第一例は「と畜場法」。やり玉にあがったのが山羊（ヒージャー）料理である。

本土では山羊を食する習慣はあまり見られないが、沖縄の庶民料理のナンバーワンは山羊料理である。キビ刈りや稲刈りや集落の共同作業などで疲れ直しの会食に、「山羊の刺身」や「山羊汁」は定番である。山羊汁は、見た目は上品とは言えないかもかも知れない。耳から足先まで大鍋にぶちこんだごった煮で、栄養価は満点で、方言ではヒージャーグスイ（山羊薬）という。

中国伝来の「医食同源」の食文化の模範的な滋養食なのだ。

本土から来た人には山羊料理は臭いが強いこともあって敬遠されがちである。せいぜい好奇心の強い観光客が山羊肉刺身に挑戦するくらいであろう。

復帰前までは、山羊の屠殺《とさつ》は自由であった。たいていの農家で二、三頭は飼っておいて、いざという時に自分たちの手で屠殺し、料理して自家製の「山羊会」を開くのである。それが、本土なみの「と殺場法」が適用されることになって、「牛、馬、豚、めん羊及び山羊」の屠殺は、専門業者にしか許可されなくなって、野良や浜辺での自家製の

街中に見られる山羊料理店

「山羊会」の楽しみも、取り締まりの対象となった。

それに独特の強い臭みのある山羊料理は、一般のレストランや食堂では敬遠されて、「山羊料理店」の看板をかかげた専門料理屋でしかお目にかかれない。「山羊会」の経験の

ない若い人たちには馴染みが薄く、琉球料理の一翼をになってきた山羊料理の伝統は、いまや風前の灯となっている。

「悪法」のもう一つは、「島豆腐」に襲いかかってきた。

豆腐は、豚肉、魚、昆布とともに、沖縄料理の四天王の地位をしめている。一般庶民の家庭料理でも、冠婚葬祭や祝祭日の重箱料理でもこの三品はかかせないものだが、とくに豆腐が食生活に占める比重は大である。揚げ豆腐、チャンプルー、ゆし豆腐、スクガラス豆腐、豆腐よう等々、庶民料理から高級料理までさまざまに形を変えて沖縄の食文化を支えている。

とくに「豆腐よう」ともなると、専門家のあいだでも「天下無比」「食味の王者」「世界第一の珍味」などと折り紙がつけられている。

歴史学者・東恩納寛惇《ひがしおんなかんじゅん》（一九六三年没）も「おもろ・紅型《びんがた》・とうふようは沖縄の三大文化」と太鼓判を押している。同氏の研究によれば、「豆腐ようは一八〜一九世紀ごろ中国から伝来し、麹を入れて甘味をつけたのは沖縄の発明」という。またその名称は中国語の「豆腐乳」がなまったもので、現在でも正式名称は「豆腐よう」である。

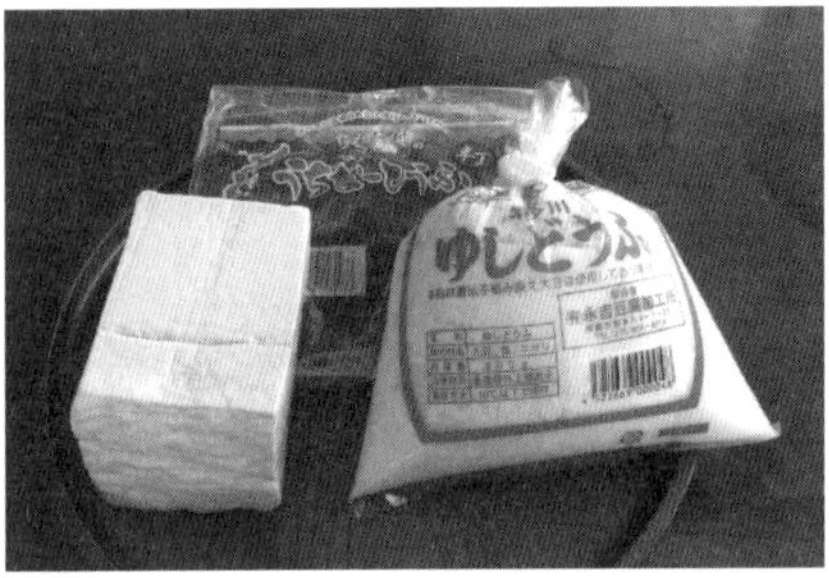

島豆腐とゆし豆腐

このように、沖縄豆腐は世界にほこる沖縄食文化の基礎となる優れものだが、本土復帰の世替りのときに、絶滅の危機に遭遇したことがあった。沖縄豆腐が日本の「食品衛生法」に抵触するというのだ。

「食品衛生法規則及び食品、添加物等の規格基準」には、「豆腐の製造基準」というのがあって、「大豆は品質良好、夾雑物を含まないもの、うんぬん」から始まって、製造から販売までの工程がことこまかに規定してある。本土の豆腐と沖縄の豆腐では、工程も違えば性質も味もかなり違いがある。これを一本の法規で取締まろうとするところに無理があった。

沖縄豆腐は熱いうちに食するのが最上で、出来たてを裸のまま板台に乗せて店頭へ出す。ヤマト豆腐とちがって水に漬けて出すことはなく、「豆腐の水さらしは絶えず換水を行なう」必要などないのである。それでも「日本人になったのだから日本の法律を守れ」とばかりに、厚生省（当時）や県中央保健所などは、「水さらし豆腐」への転換を指導した。

しかし、強権指導は空振りに終わった。なかには工場閉鎖となったケースもあったようだが、ほとんどの「違法豆腐」は、「島豆腐」と銘うって生き残った。買い手は水にひたした豆腐など見向きもしないし、製造する側にもある種の強みがあった。ほとんどが伝統的な家内工業で成り立っている業界だから、無数に潜在するゲリラ的な手づくり豆腐の現場を、取り締まることなど不可能であったのだ。

「違法豆腐」が堂々と製造され流通する一方で、沖縄県豆腐油揚商工組合などは、厚生省にむけて、島豆腐の存続運動を続けていた。その甲斐あって、本土復帰から二年後の七四年九月に規則は改正され、七五年四月から施行されて、沖縄が誇る島豆腐文化は生き残ることになった。

その「改正」の文言が何ともあっけなくて、われわれ門外漢にはピンとこない。官僚的文章の一つの見本として、島豆腐にこだわり続けてきた宮里千里氏の著書『島豆腐紀行』（ボーダーインク）から引用させていただく。

「……成形した後水さらしをしないで直ちに販売の用に供されることが通常である豆腐とは、沖縄県等の一部地域に慣習として定着している特殊な製造、販売方法による豆腐を指すものであるが、これらの地域においても漸次、冷蔵するか又は飲用適の冷水で絶えず換水しながら保存されたいこと。……」

15

ゴーヤー（苦瓜《にがうり》）とナーベーラー（糸瓜《へちま》）

「ゴーヤーとナーベーラーは野菜のサムレー（侍）」という島言葉がある。苦瓜と糸瓜は野菜の両横綱というわけだ。理由は、亜熱帯の夏の暑さでは野菜が育ちにくく、葉野菜類の勢力が衰えるなかで、両雄は存在感をますます発揮するというわけだ。

苦瓜も糸瓜も本来は、庭先に竹材でゴーヤー棚・ナーベーラー棚をつくって蔓《つる》を這わせて育てるものであった。日陰をつくって真夏の暑さをやわらげてくれるし、頭上に垂れてくる細長い実は風情があるし、何よりもその実はビタミンが豊富で「夏負けのクスリ」といわれて珍重される。沖縄には「命グスイ」ということばがある。中国から伝来した「医食同源」という食文化思想がいまでも生きているのだ。

この夏野菜の両雄が、なかなか本土に普及することができず、沖縄の特産物という地位にとどまって、全国的には振り向きもされなかった。

理由はいろいろある。第一に、従来の品種では本土の気候になじまず、ほとんど生産がなされず、日本食の食材の仲間に入れてもらえなかったこと。沖縄側にも問題があった。本土復帰のころまで沖縄には、ウリ類の強敵であるウリミバエという害虫がまんえんして大きな被害をもたらしていたので、植物防疫法で本土への移動が規制され、沖縄の農業振興の大きな阻害要因になっていたのだ。

ゴーヤー（左）とナーベーラー（右）

農水省と県農業試験場は復帰対策振興事業の一環として、「虫を放して虫を滅ぼす不妊虫放飼法」という世界でも初めての大々的な根絶作戦を展開、二〇年後に根絶に成功した（詳しくは伊藤嘉昭著『沖縄の友への直言―害虫ウリミバエ根絶と沖縄暮らしの体験から』〈高文研〉参照）。

国家的な大プロジェクトが成功したのだから、次はゴーヤーなどのウリ類を本土に出荷し普及させるプロジェクトに取り組んだ。

そのころ、ＮＨＫ連続テレビ小説「ちゅらさん」にゴーヤーマンというキャラクター・グッズが登場、これが追い風になってゴーヤーはたちまち全国に普及した。「ちゅらさん」のお婆役で人気者になった平良とみさんの話によれば、ある座談会で「ゴーヤーの苦みを抜くコツを教えてください」という質問がでたという。

とみさん曰く「沖縄ではゴーヤーは夏負けのクスリといいます。苦いクスリと思ってがまんして食べてください。そのうち好きになりますよ」。

今ではゴーヤーは品種も改良され、苦みも淡くなり、グリーンネット法とかで家庭栽培もふえるほど本土に普及している。

さて、片方の横綱・ナーベーラー（糸瓜）のほうはというと、全くといっていいほど人気が出ない。

真夏の涼風をよぶナーベーラー棚も、冷房器具が普及したせいかめったに見かけることはない。品種改良の努力も進んでいるようで、沖縄県内のスーパーなどでは、季節を問わずたまに見かけることがあるが、町方のレストランのメニューに「ゴーヤーチャンプルー」は定番だが、「ナーベーラーウブシー（味噌煮込み）」といったものを見かけることはまず皆無だ。
「同じウリ類で、なぜ、ナーベーラーは差別されるのだろうか？」と考えているうちに、「差別は偏見から産まれる」という哲理（？）に思い至った。私にも思い当たる経験がある。ある遠来の客に、「ヘチマ料理はどうですか」と訊ねると、相手は「ヘチマが食えるんですか」と目をまるくした。だんだん聞いてみると、彼の知識では、ヘチマといえば風呂場でおなじみの垢すりと、せいぜいヘチマ水という化粧品しか思い浮かばない、というのだ。

念のために『広辞苑』をめくってみると――

へちま【糸瓜・天糸瓜】
①果実は円柱状で若いうちは食用、完熟すると果肉内に強靭な繊維組織が網状に生じ、これをさらして汗除け・垢すりなどに用いる。
②つまらぬもののたとえ。へちまの皮。一休狂歌問答「世の中は何のへちまと思へども」

①はいいとして、②は「なぜつまらぬもの」になるのか今もって納得がいかない。
とにかく、「糸瓜」には食欲を減退させるイメージがつきまっとているようだ。私にも

もう一つ思い当たることがある。「糸瓜忌」というのがある。正岡子規《まさおかしき》の命日で、俳句の世界ではいまでもよく知られているようだ。なぜ「糸瓜忌」かというと、子規が三六歳の若さで早世した臨終の床で詠んだ「辞世三句」というのがある。

糸瓜咲いて痰《たん》のつまりし仏かな
痰一斗糸瓜の水も間に合わず
をとひのへちまの水も取らざりき

「へちまの水」とは、糸瓜の蔓を切って樹液を取り、痰切りのクスリとして飲む民間薬である。この有名な句を覚えている人が糸瓜を見ると、糸瓜→子規→痰一斗、という連想がはたらいて、とても食欲をそそることにはならないのだろう。

数年前、根岸の「子規庵」の記念館を見学したことがある。狭い庭にやはり糸瓜が植えられていたが、異郷の地でみるナーベーラーは南国の同族とは異なって、細く弱々しく寂しそうであった。

お口直しに、芝居仲間の平良とみさんから教えてもらったナーベーラー料理のレシピを紹介しておこう。

■ナーベーラーウブシー（糸瓜の味噌煮込み）

①若いナーベーラーを選んですべて皮を削《そ》ぐ。

②一センチ幅に輪切りする。

③あらかじめ茹でてあった豚の三枚肉をオリーブオイルをひいて強火で炒め、火が通ったらナーベーラーとともに炒める。

④水三分の一カップでといておいた味噌を入れる。

⑤シーチキンと島豆腐を入れ、弱火で一〇分間煮る。

⑥タマゴを溶いて入れ、強火で二〜三分煮込んで出来上がり。

16 沖縄の桜とヤマトの桜

南国沖縄では正月早々からもう桜の花だよりが聞こえてくる。全国でもっとも早いのが本部《もとぶ》半島の八重岳《やえだけ》の桜で、一月一五日から二月なかばごろまで桜まつりが催される。八重岳に登る山道の両側に四千本のカンヒザクラ（寒緋桜）の並木がつづいている。

満開の濃いピンクにつつまれた山道は、まるで天国にのぼる花道のように楽しい。正月に花見の話をすると、沖縄には冬がないように思われがちだが、この亜熱帯の島にもちゃんと四季の移ろいはある。ただし「春夏秋冬」ときちんと区切られたものではない。

沖縄語で二カ月ごとに季節を区切って、若春・春・若夏・南風夏《はえなつ》・白夏・冬と名づけている。秋という季節がない。草木は常緑で紅葉も落葉もないから、本土でいう「秋」という実感がないのであろう。琉球の古語に秋口にふく涼しい北風を「シラニシ（白北風）」といっていたようだが、いまは死語になっているようだ。

「常夏の島」などと謡われる沖縄でも冬は寒い。雪は降らないがアラレはたまに降ることもある。ムーチービーサ（鬼餅寒《おにもち》さ）という極寒の季節をしめす用語もあるぐらいで、だいたい旧暦一二月なかばの大寒《だいかん》のころにあたるが、最低気温が一〇度前後まで冷え込んでくることもある。

桜祭りで知られる本部町の八重岳の桜並木

この寒さにふるえながら、寒さに負けないために行なわれるのがムーチーの行事で、月桃《げっとう》の葉やクバの葉で包んだ餅を食べて、邪気ばらいをする。考えてみれば、ムーチー行事と桜まつりと時期がかさなるというのが不思議だ。

もう一つ不思議なことがある。沖縄の桜は、本土のソメイヨシノなどとは品種が異なるから、全国を縦断するサクラ前線の仲間には入らない。それはかまわないが、私が不思議と思うのは、沖縄のカンヒザクラは北から南へ開花の前線が移っていくことだ。

日本一早い八重岳は、沖縄本島の北部・やんばる地方にあって、県内では一番寒いところといわれている。そこから南下して終点は石垣島の於茂登《おもと》岳のふもとあたりになるという。なぜ北から南へ移動していくのか不思議だったが、あるとき大学の先生に尋ねてみたら疑問は氷解した。

「カンヒザクラは、寒さがきびしければきびしいほど温度差ができて早く花がひらく」とおっしゃる。本島北部の本部半島の山岳地帯は、寒暖の差が最も大きい地形になっているので、そこから咲きだして、だんだん南の温かいところへ移っていくというわけだ。

桜の話題のついでに桜花をうたった琉歌を紹介しよう。

「流れゆる水に桜花浮けて色美らさあてど掬《すくう》て見ちゃる」吉屋チル（春の歌）

「馬に鞭かけてしばし行ぎ見れば霞立つ山の花の錦」尚泰王（春の歌）

「玉のお屋敷に桃と桜木の花や御吉野の春の心」読人しらず（春の歌）

上は『琉歌集』（島袋盛敏著）から苦心してひろい集めたもので、桜花をうたった琉歌は意外に少なく、梅花を詠んだものが圧倒的に多いことを認識させられた。

ところで、これらの琉歌に詠まれた桜は想像上の歌材であって、実際に目のまえで観賞したものではないらしい。琉球の教養人たちが書物や伝聞を頼りに、唐や大和の文学の世界をなぞって詠ったのだろう。しかもこれらの琉歌は三線の伴奏に載せて音楽として謡われるのであって、漢詩や和歌のような文学性の高いものとはいえないようだ。

さきの八重岳のカンヒザクラ（寒緋桜）にもどって考えてみると、沖縄にはもともと桜花を讃える歌はあっても、それは無邪気な憧憬であって、日本の歴史に深く根ざした「桜花文化」とは本来かなり異質な感じがする。

ヤマトの桜花文化、桜花思想とは、たとえば次のような和歌に代表される。

本居宣長《もとおりのりなが》「敷島のやまと心を人問はば朝日ににほう山桜花」

細川ガラシャ「散りぬべき時知りてこそ世の中の花も花なれ人も人なれ」

このような、はかなく散っていく桜花の美しさに自らの死生観をかさねて歌をよむ「死の美学」は、もともとの沖縄人にはない。沖縄の桜は八重岳の寒緋桜のように散りぎわの美しさに欠ける。枯れるまでしつこく枝にしがみついて、果てはポタッと落ちていく。散りぎわの風情などとはそもそも無縁なのだ。

ところが沖縄にも「桜花の美学」や「死の美学」が島中を席巻《せっけん》したことが、一度だけあった。一九四四（昭和一九）年初夏のことである。沖縄守備軍（第32軍）がにわかに沖縄の島々に配備され、軍民一体の戦闘準備作業が日夜続いた。夕方、兵隊たちは宿舎になったお宮の庭で円陣を組み、大声で軍歌を合唱していた。

私たち子どもも毎日のように石垣の上で見物しているうちに、自然に多くの軍歌を覚えるようになったが、今もって理解できないような歌詞がいくつもあった。

「咲いた花なら　散るのは覚悟　みごと散りましょ　国のため」

「夢に出てきた父上に　死んで還れと励まされ　さめて睨む は敵の陣」

「海行かば　水漬くかばね　山行かば　草むすかばね　大君の　辺にこそ死なめ」

幼稚園児の私には、あんなに強そうな兵隊さんがなぜ死にたがるのか、納得できなかったのである。後年、私は沖縄戦で戦死した将兵二人の遺書の断片を読む機会があった。そこにはまざまざと死を賛美する日本軍人（？）の死生観と、桜花に象徴される死の美学が、和歌に詠いこまれていた。

「君の為何か惜しまん若桜　散りて甲斐ある命なりせば」（県立一中鉄血勤皇隊員遺書）

「大君の御はたのもとに死してこそ人と生まれし甲斐はありけれ」（大田実海軍司令官絶筆）

17 ユウナの花

わが家の庭の角でユウナの花木がゆたかな枝をのばしている。樹齢二〇年ほどで高さが四～五メートルはある常緑高木だ。ふだんはハート型の大きな葉でおおわれているが、真夏になると経五センチほどの黄色い花が咲きほこる。「おおはまぼう」という和名がついているが熱帯・亜熱帯の原産で、日本では屋久島以南でしか見られない。

それでも知名度がたかいのは、普久原恒勇の名曲「ゆうなの花」（作詞・朝比呂志）の功績というべきだろう。「ゆうなの花」は『沖縄の歌１００選』にも選ばれ、「芭蕉布」「ふるさとの雨」とならぶ三大譜久原メロディーの地位を占めている。

というわけで、沖縄でこの花の名を知らぬ者はないが、今や現地でもこの名花を見る機会は意外と少ない。わが家の門前を通るオジー（お爺）オバー（お婆）たちが路上にこぼれた落花を手にとってなつかしそうにながめながら、「昔はどの家にもユウナン木があったがこのごろは見えなくなったね」と話すのを耳にした。

まさかと思ってムラ（集落）内を一廻りしてみたが、ついに一本も見いだすことはなかった。かつてはどの屋敷にもかならず一、二本は植えていた生活必需品のユウナが、いつのまにか絶滅状態になっているのだ。大げさにいえば「沖縄庶民生活史」の一つの事件だと思って気をつけてみると、もちろん全滅というわけではなかった。わが家の眼前にひろがる百名浜（百名ビーチ）に降りてみると一連の防潮林としてまだ健在だった。

ユウナの花

次に出会ったのは、わが村の西端にある観光施設「おきなわワールド」であった。広大な園内には、鍾乳洞（玉泉洞）やハブ博物公園や工芸工房などと並んで「琉球王国村」という区画があって、昔なつかしい赤瓦屋根の家屋が建ち並んでいる。島々村々から古い家屋を移築したり模築したもので文化財建造物に指定されたのもある。久米島の上江洲家の裏庭に石づくりの建造物があって、そのうえにユウナン木の枝が垂れている。

「県指定博物館相当施設」だけにかたわらには説明板も設置してある。「フール　豚の飼育小屋を兼ねた便所のことで、フーリャ、ウワー（豚）フールとも呼ばれていました。沖縄の民家の特徴の一つであったフールも、戦後はみられなくなりました。中国から伝来したといわれています。……」

いかにも博物館相当施設らしく「建造物」の説明が続くのであるが、頭上に枝をのばしているユウナン木については一言もふれてない。観光客へ配慮して無視しているのか、あるいは担当者がまるで知らなかったのか。

ためしに、沖縄国際大学の「平和学概論」の受講生たちにこの写真を見せて、「なぜ豚便所の側にユウナン木が植えてあるのか」と質問してみたが正解はゼロであった。また、念のために『沖縄俳句歳時記』の「ユウナの花・おおはまぼう」の項を開いてみたが、「樹皮は繊維質に富み、かつては縄材にも用いられ、また稲作の緑肥にもなった」とだけあって、私の意図からすれば画竜点睛を欠いた説明だ。むしろ歳時記の例句にかかげてある「誰かいつも泣きいし記憶花ゆうな　渡嘉敷浩駄」の方が暗示的ではあるが体験に裏

フールとユウナの木

打ちされた説得力がある。これらに比べて、明快にユウナの葉の用途をズバリと説明したのが前記の『沖縄の歌100選』の解説である。「頼りなげで可憐な花ですが、葉は、昔、トイレットペーパーとして大変頼りになりました」（泉知行）

沖縄戦の直前まで、たいていの農家では裏庭にウワー・フール（豚便所）があって養豚を営んでいた。豚の餌は人糞と芋皮であった。フールには落とし穴を穿《うが》ってあって、そこから落とした大便を豚が片づけるのである。用を足したあとは、かたわらのユウナの枝から葉をちぎって落とし紙（トイレットペーパー）として用いるのである。ティッシュを鼻紙といい、新聞紙も貴重品であった時代にはユウナの葉は日常の必需品であったのだ。

ユウナの葉の効用はそれだけにとどまらない。沖縄俳句歳時記には、「昔は皿として利用した」と短い記述があるが、今年八五歳になる姉が語るには、ユウナの葉を見ると子どものころのなつかしい記憶がよみがえってくるという。

わが村の貧しくも平和であった時代、どこかの家で赤ちゃんが産まれるとムラ（集落）の子どもたち全員にお祝いの白いオニギリが配られたという。「イモとハダシ」の貧しい時代に白米のオニギリはたいそうなご馳走であった。オニギリは産まれたばかりの赤ちゃんをムラの子どもたちの仲間に入れてもらう儀礼でもあった。数十人の子どもたちが赤ちゃんの顔を見に集まってくる。その折、大きな白いオニギリを載せて配る器がユウナの葉のお皿だったのだ。

沖縄から豚便所が一掃されたのは、一九四四（昭和一九）年夏、日本軍の戦闘部隊（第32軍）がはじめて沖縄に「進駐」してきた時からである。部隊に供出する豚を人糞で飼育するのは衛生上問題があるというので、憲兵が立ち会って豚便所の落し口をセメントで塞いでまわった。軍隊という組織は、自己防衛を第一とするのが世界の常識でもあった。

18

命口説《ぬちくどぅち》の歌

沖縄は昔から歌と踊りの島であった。

第二次大戦前の昭和初期のころまでは、どこのムラ（集落）でもモーアシビー（野遊び）がさかんで、若い男女が月明かりのもとで歌と踊りの交流会を開いて、コミュニケーションの手段として歌の掛け合い合戦を演じた。これを日本古代の「歌垣」に比定する研究者もいる。

モーアシビーで鍛えられたせいか、その時代の人びとは即興で琉歌を詠むことにたけていた。

敗戦直後、多くの肉親を「艦砲に喰われた」あげく、奇跡的に生き残った人びとは山村に設けられた避難民収容所に囲われてアメリカ世《ゆー》の生活に踏み出していたが、避難民たちは自分たちの傷心を癒すために、米軍から配給された缶詰の空き缶でサンシン（三線）をこしらえて、戦争への恨みと悲しみを歌いだした。

戦前の軍国主義の時代には、琉球王朝文化の流れをひく沖縄芸能は異端視され軽蔑され、沖縄方言も琉球民謡も禁止されたのだが、日本の敗戦によってある意味で沖縄の人びとは解放されて、自分たちの言葉と歌を取り戻したのだった。

米軍政府のもとに住民の自治機関として設置された沖縄民政府は、生き残った沖縄芝居の役者をかきあつめて、松・竹・梅の三劇団を編成し、各地の避難民収容所へ巡回慰問公演をさせた。これが後に「沖縄ルネッサンス」と呼ばれる戦後復興の第一歩となった。

収容所時代に生まれた島唄は無数にあったが、今日に歌い継がれているものに、「屋嘉《やか》節」（金城守賢、渡名喜庸仁・作詞）「二見《ふたみ》情話」（照屋大一作詞）「姫百合の歌」（小宗三郎作詞）などがある。これらの歌は、戦場の肉親の死と祖国日本の敗戦をなげく詠嘆の歌である。

「なちかしや沖縄　戦場になやい　世間御万人《うまんちゅ》ぬ流す涙」（屋嘉節）といった、事実ありのままに悲惨な境遇をうたった歌もあれば、「一筋忠孝胸に抱き　鉄より堅き日本の　大和魂の桜花」といった、軍国調の尾を引いたままの戦場哀歌などもごった混ぜになった時期であった。

しかし時を経るうちに、「命口説《ぬちくどぅち》」（上原直彦作詞）、「カンポーの喰エー残《ぬく》サー」（比嘉恒敏作詞作曲）、「さとうきび畑」（寺島尚彦作詞作曲）、「月桃《げっとう》」（海勢頭《うみせど》豊作詞作曲）のように、戦争への批判や風刺をこめた名曲が生まれるようになる。

「命口説」では「戦争起くちゃしや何ぬ為が　戦争始みたし誰やゆが　神の仕業《しわざ》か人故《ゆえ》か」と、よく知られた口説のサンシン伴奏にのせて、痛烈に戦争責任を告発している。

一九五〇年代半ば、米軍統治下の「琉球住民」が米軍の軍用地接収に抵抗して、「祖国の土地を守れ」を合い言葉に、はじめての島ぐるみ土地闘争に立ち上がったとき、運動の先頭に立ったのは島の六割の土地を強制接収された伊江《いえ》島の住民であった。畑を奪われ村を追い出された人びとは、沖縄本島各地を行脚しながら、米軍の銃剣とブルドーザーによる土地接収の経緯を人びとに訴えた。

伊江島土地を守る会の阿波根《あはごん》昌鴻《しょうこう》会長の演説に続いて、野里竹松《のざとたけまつ》さんが自作の「陳情口説」をサンシンにのせて歌った。沖縄口《うちなーぐち》で一〇番まで歌われるクルチ（口説）は、人びとの胸に強く響いた。

中学生の私も、那覇の国際通りでその歌を聴いて涙をながしたひとりである。一九五六年六月、軍用地強制接収に反対する「土地を守る四原則貫徹」のスローガンをかかげて、一〇万人をこえる「沖縄県民」が那覇高校グラウンドを埋めつくした。歴史的に「忍従の民」といわれていた沖縄の人びとが、「抵抗の民」に脱皮した歴史的瞬間であった。

一九六〇年代に入ると、米軍の圧力をはねのけて公然と祖国復帰運動が起こり、沖縄の抵抗運動は本土の労働組合や民主団体との連帯の道もひらけた。本土の沖縄返還運動の中から生まれた「沖縄を返せ」（全司法福岡高裁支部作詞、荒木栄作曲）が、沖縄でも歌われるようになり、復帰運動時代の沖縄を象徴する運動歌となった。

さらに時代が経過すると、沖縄民謡はフォークやロックと融合して、新しい沖縄音楽へと進んでいく。一九七〇年代に入るとアメリカのフォークソングや本土のうたごえ運動の影響を受けながら、復帰運動やベトナム反戦運動の全国的な高揚を背景に、沖縄音楽は戦争と軍事基地に反対する平和の歌声として、全国へ発信された。海勢頭豊、喜納《きな》昌吉《しょうきち》、まよなかしんや、日出《ひで》克《かつ》らがサンシンやギターをかかえて登場し平和運動への応援歌を歌った。

基地の街・沖縄市では、毎年夏休み中の九日間「国際児童・青少年演劇フェスティバル

キジムナーフェスタ2012のポスター

（愛称・キジムナーフェスタ）」を開催している。基地の街だからこそ「子どもたちには平和と希望を」と宣言してはじまった舞台とミュージックの祭典は、全国で唯一の青少年演劇祭として、またアシテジ（国際児童青少年演劇協会）と連携した国際的なイベントとして注目されている（本書二〇〇ページ参照）。

二〇一二年は世界一二カ国から四四団体が参加し、とくにアシテジ第一回ミーティングが開催されたが、この国際的な芸術家のミーティングに「劇場は命薬」という標語をかかげた。ヌチグスイ（命薬）とは何か、沖縄独特の言葉の解説を運営委員会のメンバーである私が書くことになった。

前半はすでに紹介したが、後半部はこうである。

《沖縄では「命どぅ宝」という諺もよく耳にします。戦争体験や苦難の歴史から学んだ血のにじんだクガニクトゥバ（黄金言葉）です。どんな苦境にあっても勇気をふるって命だけは守らなければならない、という先人からの教訓です。

そして、この大事な宝をささえるエネルギー源が「命薬」なのです。沖縄戦から生き残った避難民収容所の人びとは米軍缶詰の空き缶でカンカラ三線を「発明」して、「命ぬ御祝」をやりました。

鉄の暴風で多くの肉親をうばわれ、祖国まで失った敗残の人びとにとって、あのカンカラ三線のひびきはまさに「命薬」でした。そして、沖縄が世界に誇る琉球芸能の復活を告げる産声でもあったのです。》

19

八重山断髪事件と作曲家・宮良《みやら》長包《ちょうほう》

宮良長包といえば、「安里屋ユンタ」「えんどうの花」「汗水節」などの名曲を残した作曲家である。戦前の昭和初期まで沖縄師範学校の音楽教師をつとめながら、沖縄民謡を基調とした斬新な歌曲を一二〇曲余も世に送り出した。

しかし惜しいことに、当時の中央集権的な日本社会では地方の文化は軽視ないし蔑視され、沖縄の文化や芸能の価値が認められる環境にはなかったので、中央の音楽界ではほとんど知られることもなく一九三九年（昭和一四年）にこの世を去った。

長包の生涯と作品の世界を知るのに欠かせない楽譜や遺品は那覇市に住む長女が大事に保管していたが、一九四四年一〇月一〇日の十・十大空襲でことごとく焼失してしまった。

ところが、長包はこの世にかけがえのない「遺産」をのこしていた。師範学校で沖縄音楽の伝統精神を注入して育てた教え子たちである。戦後、長包の薫陶をうけた教え子たちは廃墟のなかから出発した教育再建運動のなかで、音楽教育のテキストとして長包の作品を復活させようと計画し、教え子たちの記憶だけを手がかりに苦心惨憺して楽譜の復元作業を進めたのだった。この事業は成功して、長包歌曲の数々は全島の学校でみごとに復活したのであった。

宮良長包は一八九一年（明治二四年）に九歳で尋常小学校（当時は四年制）へ入学し、一八九五年に一二歳で八重山《やえやま》高等小学校へ入学している。ところが、翌九六年一三歳で「同校中退、三年間休学」とある。そして一八九九年一六歳で復学し、一九〇二年に一九歳で高等小学校を卒業、すぐに同校の代用教員として採用され、翌年二〇歳で沖縄県師範学校へ入学した。初等教育を終えるのにずいぶん道草をくったことになる。生家は八重山士族の由緒ある家柄で、学費を心配するような貧家ではない。では、この学業の遅れはなんだろうか。

宮良長包の顔写真入りポスター

入学が遅くなったのは当時の沖縄社会では珍しいことではない。琉球処分いらいヤマト明治政府から押しつけられた新制度に抵抗して役所への勤務や学校への就学に二の足をふむ風潮がつよかった。たとえば、宮古島では沖縄での廃藩置県の年（一八七九年）にヤマト政府に不服従を誓って血判同盟を結んだ旧士族集団が、新設された警察に通訳として採用された士族の男を裏切り者とみなし、集団リンチでなぶり殺すという「サンシー事件」が発生していた。

こうした琉球王府時代の旧支配層の抵抗がつよかったために政府は沖縄県にかぎってはとうぶん「旧慣存置」の方針でのぞむことにして、先島（宮古、八重山）などでは新制度の役所長と旧制度の頭《かしら》職が並立するという奇妙な制度が続いていたのである。親清国派（反ヤマト派）の士族たちがようやくヤマト世《ゆー》の新制度を受け入れるようになるのは、日清戦争で清国（中国）があっさり負けてしまってから後のことである。

長包も日清戦争の翌年（一八九六〈明治二八〉年）に八重山高等小学校へと進む。八重山社会でもようやく新教育をうけいれる空気が醸成されつつあっただろうと推測できる。ところが理解に苦しむのは、高等小学校に入学して間もない翌年三月には中退して三年間も休学していることである。年譜には休学の理由は書かれてはいないが病気や家庭の事情でもなさそうだ。

このことについて三木健氏は著書『宮良長包』で次のように推測している。

「どのような『都合』があったのか定かではない。ただここで想定されるのは、長包が高等科に進学した年に起きた断髪騒動である。この事件は一八九五年の五月三一日、大川尋常小学校の生徒七〇余人が修学旅行で竹富島に渡った際、生徒たちが寝入った後、先生たちによってカタカシラが一斉に切り落とされたことに端を発した社会的事件であった。士族のシンボルともいうべきカタカシラを切り落とされた生徒たちの親、特に当時頑固党と称された士族階級の人士は結束を固め、子弟の登校を拒否、あるいは学校職員の免職を要求するなどして不穏な社会情勢となった。……日清戦争前後の激動期の一三歳から一六歳までの多感な少年時代を、彼は家事の手伝いをしながら八重山社会を体験することになる」

沖縄の近代化＝ヤマトへの同化がいかに困難な道のりであったかを象徴するような事件が背景にあったのだ。新しい時代と古い時代がはげしくせめぎあう潮目に立たされた長包少年は何を思い何を考えただろうか。そして、宮良長包の生涯と音楽にこの事件はどのような影をおとしたであろうか。

思うに、長包少年の三年間の空白は、旧慣温存策と皇民化教育という矛盾した県治方針が内部衝突をひき起こし、ヤマトゥとウチナーの間にできた亀裂に足をとられた災難というべきかもしれない。あるいは、その原体験があったからこそ、音楽家としての長包はヤマトを経由して流入してきた西洋音楽と八重山の風土からうまれた琉球民謡という異質な音楽の融合を終生追求し続けたのかもしれない。

惜しくもこころざし半ばにして早世したが、彼がまいた種子は六〇年後の今日、全国的な島唄ブームとなって花開いている。

20 八重山民謡トゥバラーマの力

日本列島の南端、琉球列島のさらに南の島々、石垣、竹富、西表《いりおもて》、与那国などを総称して八重山と呼んでいる。沖縄音楽の父・宮良長包を生んだ島だけあって、八重山の文化風土を称して「詩の邦・唄の邦・踊りの邦」というのが八重山観光のキャッチフレーズになっている。

民俗学者の柳田国男が、「臨終の枕辺でベートベンの〝合唱〟と八重山の〝トゥバラーマ〟が聴けたら本望だ」と語ったといわれるが、私自身のわずかな知識や体験に照らしても柳田先生の心境は「さもありなん」と納得できる。

ただ、八重山の民謡や舞踊の優美さ格調の高さには全く同感で、「歌の邦」「踊りの邦」まではよくわかるが、「詩の邦」にひっかかるものがあった。八重山出身の詩人・伊波南哲や長包歌曲の作詞家数人の名前を知らぬわけではないが、それにしても「詩の邦」は少し大げさの感があった。ところが、そんな先入観がくつがえされて目からウロコが落ちる思いがした忘れがたい体験がある。それを私は「トゥバラーマ体験」と名づけている。

日本復帰直後の一九七三年ごろのことである。二七年ぶりの日本復帰という世替りの渦中で新生沖縄県は県民の沖縄戦体験を風化させてはならないと『沖縄県史・沖縄戦記録』の編纂を急いでいた。東京から帰郷したばかりの私も沖縄史料編集所の専門員に採用されて、県民の戦争体験記録の仕事に従事することになった。テープレコーダーをかついで市町村をまわって個々人の戦場体験を調査し記録する作業である。

沖縄戦といえば沖縄本島の砲煙弾雨の戦場の体験ばかりが注目されがちだが、地上戦闘のなかった宮古、八重山でも戦争マラリアや餓死や空襲などによる犠牲も深刻だった。

一九七三年夏、西表島の西部地区へ渡ったときのことである。八重山歴史教育者協議会の先生方の案内で尖閣《せんかく》列島遭難者や西表炭坑の台湾出身者の聞き取り調査で歩き回っていた途中、「台風接近、すぐ石垣へ戻るように」という電話がかかってきた。夕空は穏やかに晴れて台風の気配もないが、南端の島々では台風の発生から到達までは足取りが速いという。半信半疑で船着場へ駆けつけてみると、連絡船はすでに避難して欠航だという。

至急東部地区へ回れば何とかなるというが、当時はまだ東西両地区を結ぶ道路が開けてない時代である。といって暗夜の山越えは危険である。満潮になる前に海岸線を歩いて行くしかない。西部地区の集落まではおよそ九時間の道のりだという。一行六人一列縦隊で海水につかったり岩場をはい登ったりしながら道なき道を歩き続けた。広漠とした無人地帯では懐中電灯の明かりも頼りない。油断すると落後して迷子になる危険性もあった。

そんな時、案内役の石垣さんがトゥバラーマを歌い出した。暗闇の中、列からはぐれないように、怖じ気づかないように、先導者の歌声が命綱になった。われわれも彼の歌の後から一節一節、「チンダサー、マクトゥニチンダーサー」と返しを歌いながら、互いの位置を確認したり励まし合うように歌いつづけた。ようやく明け方、大雨のなかを西海岸の小さな集落にたどりついた。みんなは砂浜に仰向けに寝そべって心ゆくまで大粒の雨に打たれながら無事を悦んだ。あらためて命綱の役割をはたした石垣さんのトゥバラーマに感謝した。

それにしても夜通し歌いつづけたトゥバラーマの歌詞をどうやって覚えたのだろう、と不思議に思って訊ねてみると、彼はこともなげに「あれはみんな即興の歌だ。内心では皆さんを遭難させたらどうしようと、泣きたい思いで必死になって歌っていたのだ」とこたえた。さすが「詩の邦」、八重山の人びとはみんな即興詩人なのだ。

毎年、石垣市内の公園広場で旧暦十三夜の月光をあびながら「とぅばらーま大会」が催される。コンクールでは出場者が古典一節と自作の歌詞一節を競って歌い、歌唱の部と作詞の部に分けて表彰される。入賞歌詞は新聞でも紹介される。

石垣在住の大田静男さんが、大会入賞作をまとめた『とぅばらーまの世界』を出版した。歌唱の部は付録のCDで紹介され、代表的な入選歌詞は内容別に分類されて一冊に集録されている。「戦争・平和」という一章もある。トゥバラーマは本来叙情の歌といわれるが、抒情はかならずしも甘ったるいものとはかぎらない。心の底から湧き出る「戦争」にまつわる悲しみも憎しみも怒りも抒情なのだ。

次のような歌詞が心に残った。歌詞の訳は私のもの。

人とぅ生まれて畜生ぬ身に墜《おち》てー　戦《いくさ》ぬ哀り世々に語りょうら

（人間に生まれながら畜生道に身を堕した。戦争の悲惨は永遠に語り継ぎましょう）

にたさ　がまらさ　うち忘けーり　戦世《いくさゆ》ぬ季節ば　又ん迎いるでぃな

（戦争時や戦後の憤怒や恨み、悲しみも忘却し、戦争の時代をまたも迎えるような時勢だ）

21 キジムナーの「出世」秘話

先に二〇一二年夏の「キジムナーフェスタ２０１２」の模様を紹介したが（二〇ページ参照）、そもそも「キジムナー」についての説明を抜かしてしまった。

説明不足のお詫びに私自身の「キジムナー体験」をお話したい。体験談といっても、たわいないものである。終戦直後の子どものころ、「キジムナー遊び」というのがはやった。村はずれに古いガジュマル樹があって、キジムナーという妖怪が住んでいるという噂があった。

キジムナーは夜しか活動しない。村の悪童グループは暗くなるのをまって樹のまわりに集まり、子ども大将がなにやら呪文をとなえながら十字にゆわえた線香に火をつけて木の枝につるしておく。

われわれは少し離れたところから線香の火を見守っている。辺りは深い闇、息をひそめてみつめているとやがて線香の火がゆらゆら動きだした（ように思われた）。「出た！」と誰かが叫ぶと悪童どもは一散に逃げ散ってしまう。ただそれだけの体験であるが、子どもたちはキジムナーの存在を確信したのだ。

キジムナーについての定義は諸説ある。

『沖縄民俗辞典』（吉川弘文館）では、「沖縄諸島で木の精と考えられている妖怪。その姿は赤毛の長髪で赤ら顔をし、体躯は小童のようで、長い手足をもつ。魚の左目が好物で、蛸を嫌う。……（友だちになると）漁を助け大漁や富をもたらす報恩譚《ほうおんたん》がよく知られている。……松明をもって海や田圃の上を走るキジムナー火が目撃される」などと、実例まであげている。

『沖縄大百科事典』（沖縄タイムス社）では、「沖縄諸島に伝わる想像上の生き物、または妖怪。……本土のカッパやザシキワラシなどと同一視されるが、キジムナーは沖縄独特の説話・伝説であり、今日ではそれを素材とした絵画・彫刻・舞踊・童話などが産み出されている」などと、クールにとらえている。

私などもキジムナーを主人公にした童話やラジオドラマや人形劇などを書いたことがあるが、少年時代のあの憧れと畏れの原体験はまだ尾をひいているかもしれない。

一九七九年ごろ、「キジムナーの笛」という人形劇を創作したことがある。子どもたちと友だちになった愛嬌のあるキジムナーが、子どもたちのために活躍するというストーリーである。そのときの苦労ばなしを、新聞のエッセイ欄に書いている。

《人形劇団かじまやあが、二年ほど前からキジムナーを主人公にしたオリジナル作品に取り組んでいる。……ほぼ一年というものはキジムナーのイメージづくりについやされた。文献を探索したり、各地の伝承を聞き取りしたり、実際に現地を踏査したりして、みんなで持ち寄ったデータをブレーンストーミング（自由討論）にかけて、共通のイメージをこしらえていく。舞台の上で実際に動き出す人形を造形していくのだから、キジムナーのイメージづくりは作品のよしあしを決定的に左右する土台になる。

なにしろ、体色は赤いのか青いのか、身長はどれぐらいか、どんな声を出すのか、など と誰も見たことのない主人公の特徴を議論するのだから、進行役の私の仕事も楽ではない。キジムナーの幻影を追っかけているうちに、沖縄各地に継承されているキジムナー伝説の多彩さに驚かされた。

実際にキジムナーらしきものを目撃した人も何人か現れて、わざわざ絵に描いてくれたケースもある。赤い顔もあれば青い顔もある。かわいい子どもの姿もあればグロテスクな

生き物もある。これだけ豊富な素材がありながら、今まで形象化・典型化にいたらなかったのが不思議なくらいだ。……》

それから一五年後、新しいキジムナー像と出会うことになった。一九九四年夏、沖縄市を中心とする中部広域圏の自治体が共同して、国際青少年・児童演劇祭を開催することになった。基地の街といわれる嘉手納・普天間の米軍基地周辺の自治体が、子どもたちの健全育成のために開催する、「日本で最大で唯一の継続的に開催される子どもとファミリーのための舞台芸術の祭典」、先述のキジムナーフェスタである。国際児童青少年演劇協会（アシテジ）も全面的に協力して開催される国際的な演劇祭である。

総合プロデューサーとして、エーシーオー沖縄（演劇事務所）の下山久さんに白羽の矢が立ったものだから、彼と親しい名《な》嘉《か》睦《ぼく》稔《ねん》（版画）、照《てる》屋《や》林《りん》賢《けん》（音楽）、中村透（音楽）、玉《たま》城《き》満《みつる》（演劇）に私（嶋・脚本）など加わって、「フェスティバルを成功させる会」という応援団のようなものができた。

第一会合の議題は、まずネーミングの問題であった。行政用語のような「国際児童・青少年演劇フェスティバルおきなわ」では、肝心の子どもたちがついてこれないだろうということで、愛称をつけることになった。「子どもたちのための演劇祭」という趣旨から連想して、私の脳裏には一五年前の人形劇「キジムナーの笛」のことが浮かんできた。「キジムナーフェスタではどうだろう」と提案したら、みんなもあっさり賛同してくれた。ところが、外来の人たちに「キジムナー」という不思議な生き物（?）をどうやって説明するかという問題が浮上した。

この難問を名嘉睦稔さんが、コロンブスの卵のように簡単に解決した。要するに言葉で説明するよりも、視覚にうったえれば「一目瞭然」なのである。版画家で売り出し中の睦稔さんは、まもなく数枚のキャラクター下絵を持参してきた。

名嘉睦稔さんが描いた
シンボルマーク

今では「幸せの黄色いハンケチをかかげて元気に駆けているキジムナー」のキャラクター・マークが、公式のシンボルマークになっている。そして名嘉画伯が産み出したキジムナー像は、子どもたちのアイドルとなって駆け回り、テーマパークの人形やお土産グッズのデザインなどでも人気者になっている。いまやキジムナーといえばこのキャラクター以外にはイメージできないほどに、人びとの心に定着している。

22
キジムナーが結ぶ東アジア文化共同体

東日本大震災翌年の二〇一二年の「キジムナーフェスタ」は、夏休みの九日間、基地の街・沖縄市（コザ）の街中の三一会場で賑やかに繰りひろげられた。とくに今回は第一〇回の節目を記念してアシテジ（国際児童青少年演劇協会）の主催で、「第一回アシテジ世界ミーティング」が会場内で開催され八〇カ国の代表が参加して熱心な討論が行なわれた。メインテーマには「劇場は命薬（ヌチグスイ）」という沖縄ことばのタイトルがかかげられ、「大震災と原発事故による壊滅的打撃をうけた日本の劇的な体験にもとづいて、芸術家が災害や危機的状況に対しどう立ち向かうか」というシビアな問題をめぐって熱心な討論が行なわれた。

ところで、危機的状況といえば、われわれフェスタ実行委員会にも大きなリスクが迫りつつあった。実行委員会は主催団体である沖縄市（東門《とうもん》市長）、エーシーオー沖縄（下山プロデューサー）、NPO県芸術文化振興協会（大城理事長）、他二団体で構成されていて、私も一端の責任を負う立場にあるが、われわれにとってのリスク（危機）の震源地は例の尖閣《せんかく》問題であった。この時期、日本政府の尖閣諸島国有化をめぐって日本と中国・台湾のあいだで領有権問題がにわかに浮上して、フェスタの前途にも雲行きがあやしくなってきたのだ。

中国国内では激しい反日デモが各地に拡大、尖閣近海では中国・台湾の漁船や巡視艇の示威行動が続き、公式行事や各種イベントが中止になったり、観光団のキャンセルが相次ぎ、経済面では輸出入が激減するなど、事態は日に日に深刻化していた。こうした状況下ではたして中国・台湾・韓国の、フェスタ参加予定の劇団や関係者たちが沖縄まで来てくれるかどうか心配だった。

しかし幸い、心配は杞憂《きゆう》にすぎなかった。韓国、中国、台湾ともに代表団全員の顔ぶれが揃い、開会式の記念公演では日本を含めた四国共同制作のパフォーマンス劇を上演して、世界の仲間たちに東アジアの友情の絆をアピールした。

中国、韓国、台湾の劇団は、舞台公演のほかにアシテジ・アジア会議のメンバーとして世界ミーティングにも参加したが、とくに尖閣や竹島の領土問題を意識した発言はなかった。むしろ偏狭なナショナリズムを超越して世界の子どもたちの未来のために何をなすべきかを熱心に語り合った。そして、二〇一三年は韓国で第一回アジアアシテジ会議を開くことが決定され、われわれも日本代表として参加することを決意して、ソウルでの再会を約束したのだった。

第一回アシテジ世界会議は最終日の閉会式で「沖縄宣言」を採択した。文中の「私たちはここで優れた舞台芸術が、戦争や災害といった人類の病気や怪我を癒すのに有効であることを学びました」という言葉が心に焼きついた。

尖閣や竹島の領土問題は、双方の歴史問題や国民感情もからんで根が深くもつれた糸をほぐすには長い時間がかかると思われる。両方の国民が冷静に知恵を働かせてねばり強く相互理解と互恵関係を構築していく以外に解決の道はないだろう。沖縄は琉球王国の時代から「万国津梁《ばんこくしんりょう》」を国是として、東アジア諸国と親密な友好関係を築いてきた歴史がある。われわれもまた舞台でも会議でも折あるごとに「平和の心」を発信してきたつもりだ。

平和学の創始者ヨハン・ガルトゥングは「平和的手段による紛争の超越法」の一ステッ

プとして、直接的・構造的な暴力を肯定（正当化）する暴力文化の代表的なものとして偏狭なナショナリズムをあげ、これを転換・超越する方法として「平和の文化」のたゆみない創造を提唱している。われわれもまた、キジムナーフェスタの国際交流の広場で、「万国津梁」「イチャリバチョーデー（行逢えば兄弟）」「劇場は命薬」をキーワードにして、「平和の文化」の構築に微力をつくすことを再確認したフェスタであった。

キジムナーフェスタ 2012 の閉会式

キジムナーフェスタが閉幕して間もなく、中国児童劇院の周会長から下山総合プロデューサー宛に礼状が送られてきた。

尖閣問題などには一言もふれずに「お互いの合作はもっと深く、もっと広く発展することを祈ります。二〇一三年のキジムナーフェスタに向けて、中国児童劇フェスタとの合作の案について話し合いたいと思います」と結んであった。

23 「世界遺産」裏ばなし～聖域の男子禁制、是か非か

わが家の東方、知念岬の尖端に世界遺産の「斎場御嶽《せーふぁうたき》」が望見できる。私にとっては、子どものころから慣れ親しんだ、素朴で深閑としたウガンジュ（御願所）の一つにすぎないが、それだけに斎場御嶽が世界遺産の候補にあがっていると聞かされたときは、あまり実感がわかなかった。しかも私自身が沖縄県の文化課長として登録準備作業の一端に関わろうとは、不思議なめぐりあわせだと思った。

それ以来、世界遺産に出世したウタキの将来については、目がはなせない思いで眺めていた。さきごろ聖域を管理している南城市観光協会を訪ねたおり、事務局長さんから意外な苦労話をきかされた。

「過剰な入場者の制限策として御嶽の聖域を男子禁制にしてはどうかと」という意見が持ち上がっているというのだ。高野山《こうやさん》や比叡山《ひえいざん》などの「女人禁制《にょにんきんせい》」は聞いたことがあるが、

わが南城市の職員から「男子禁制」の復活案を聞かされるとは正直驚きであった。

しかし、「斎場御嶽とは何か」「世界遺産とは何か」という原点に立ち戻って考えてみると、世界遺産をかかえる現地市町村の苦悩の切実さがみえてきて、昨今の過熱気味な世界遺産ブームが心配になってきた。

二〇〇〇年一一月、日本で一一番目に世界遺産に登録された「琉球王国のグスク及び関連遺産群」は、琉球（沖縄）の歴史と文化を代表する九件の文化遺産で構成されている。これらのコンテンツは東アジアで唯一の海洋国家として活躍した琉球王国の姿を、次のような三本の柱で描いている。

世界遺産・斎場御嶽

①グスクに象徴される王国の統一と権力支配の歴史（男性世界）、首里城《しゅりじょう》跡・中城城《なかぐすくじょう》跡・勝連城《かつれんじょう》跡・座喜味城《ざきみじょう》跡・今帰仁城《なきじんじょう》跡

②ウタキ（自然信仰）と巨大墓（先祖崇拝）に象徴される精神文化の世界（女性支配）、斎場御嶽《せーふぁうたき》・園比屋武御嶽石門《そのひゃんうたきいしもん》・玉陵《たまうどぅん》

③迎賓館（王家別邸）に象徴される海洋国家の国際交流、識名園（王家別邸）

これらの文化遺産のなかで斎場御嶽は、ユネスコが「琉球王朝時代の精神文化の象徴、王国随一の聖域」というお墨付きを与えた霊場であった。昔、祖先崇拝や自然崇拝などの固有の信仰形態をもつ琉球では、男性が政治をつかさどり女性が祭祀をつかさどる政教並立の制度があった。

島々村々のカミンチュ（神女）たちが、祭祀を行なう御嶽は神聖な場所として大事にされたが、なかでも斎場御嶽は王府が管理する格式の高い霊場であった。国王がアガリウマーイ（東御廻り）の巡礼のとき、王の姉妹である聞得大君《きこえおおぎみ》の案内で御嶽にのぼって、久高島を遙拝する儀式がとり行なわれた。久高島は王国のルーツの島である。

斎場御嶽の南側の巨岩の間に久高遙拝の祭壇があって、東方五キロ沖合に久高島の細長い島影が横たわっている。久高はカミグニ（神国）とよばれ、斎場御嶽とは遙拝儀式で結ばれている。

国王の久高遙拝を先導する聞得大君は、国王の姉妹から選ばれて就任する王府最高の神官であるが、その神秘的な就任式がこの聖地で夜を徹してとり行なわれたという。王国の開闢《かいびゃく》神話によると、アマミキョ神ははじめ久高島に上陸し、のちに麦、粟などの五穀をたずさえてこの岬に渡ってきたという。

王朝のルーツの地であり、五穀発祥の地でもある久高島を遥拝する祭壇が、そそり立つ奇岩の狭間に設置されており、御嶽の重要なポイントなのだが、多くの観光客は知らずに通り過ぎてしまう。祭壇といっても素朴な石の香炉を並べただけの構造だから、物見遊山の一見客が参拝するはずもない。

この琉球第一の聖域も、世界遺産に登録されるまでは、県内の門中《むんちゅう》グループがたまに年中行事のアガリウマーイ（東方巡拝）で訪れるのがせいぜいだった。しかし世界遺産で知られるようになると、本土からの観光ツアーの定番コースとなって入山者が急増、年間四三万人、一日平均約三〇〇〇人も押し寄せてくるようになった。

斎場御嶽から久高島を遙拝する神女

ところがウタキの周辺には、各地の観光地でみられるような門前市や歓楽街などは皆無で、管理責任者の南城市が設置した「道の駅」がポツンと建っているだけだ。観光地特有の俗臭はなるべくおさえて、聖域の雰囲気をなんとか維持しようと苦心する心遣いがうかがえる。

このごろ流行のパワースポットとかスタンプラリーなどの影響もあって、押し寄せてくる観光客の人口圧から、いかにして聖域の自然環境と森厳な雰囲気を防衛するか、議論のすえに浮上したのが「男子禁制」の復活案だったのである。

昔、厳粛な掟が生きていた時代には、神女たちのお供についてきた男たちは、御嶽への入山はゆるされず、参道の入口で遙拝したあと、近くの広場で待機する慣例だった。この制度を復活させれば確実に入山者は減少して、御嶽に不可欠な「静寂」は保全できるという妙案だが、さて男女同権の世に、はたして実現可能かどうか予測は難しい。

かつて岡本太郎氏は沖縄各地の御嶽を探訪したあと「何もないことの眩暈《げんうん》」（『沖縄文化論・忘れられた日本』）という名言を残し、また久高島を訪れた折口信夫《しのぶ》氏は「目を閉じて時と所を忘るれば神代《かみよ》に近き声ぞ聞ゆる」と詠んだ。また斎場御嶽を訪れた宮本亜門《あもん》氏は「ここの空気はなにか違う、霊気が満ちているようだ」と語ったという。

三人が共通して体験したのは「静寂」ということであっただろう。世界遺産になったとたんに価値ある「静寂」が危機に瀕したとは、まさに「矛盾」というものであろう。

24 「世界遺産」裏ばなし～阿麻和利の名誉回復

一九九九年の春四月、勝連町（当時）の上江洲《うえず》教育長が私の職場に訪ねてこられた。私は沖縄県文化課から県立博物館へ異動したばかりだったが、文化課時代にふたりは勝連城跡の世界遺産登録の準備作業で共に汗を流した間柄だった。

上江洲氏はいきなり、「あんたは芝居も書かれるそうですが、ひとつ阿麻和利《あまわり》の名誉回復のために脚本を一本書いてくれませんか」と、意外な注文をしてきた。世界遺産をかかえる市町村には、地域住民や国内外の人びとに世界遺産の価値を周知させるイベント事業が義務づけられているという。

沖縄観光の花形である首里城などは心配なかろうが、勝連城の場合は困った問題があるという。勝連城といえば阿麻和利、阿麻和利といえば首里の国王に反逆した極悪人として一般には印象づけられている。王府踊奉行《おどりぶぎょう》の玉城朝薫《たまぐすくちょうくん》が創作した「二童敵討《にどうていちうち》」は、組踊の代表作として学校公演などでも人気があるが、首里王府に抵抗した逆賊・阿麻和利の悪人面は子どもたちの脳裏に焼きつけられている。

町立の学校では勝連城の最後の城主・阿麻和利のことを、どうやって子どもたちに教えたらいいのか教師たちが困っているという。教育長としては放置できない問題だ。

だが、上江洲教育長はかつて歴史家の外間守善《ほかましゅぜん》教授の、「阿麻和利は悪者ではない。民《たみ》草《くさ》の王であり、鎌倉に匹敵するほどの勝連を栄えさせた偉人であった」という講演を聴いて、感動した経験があった。そこで阿麻和利の汚名挽回のために、「二童敵討」に対抗する新作組踊をつくって、世界遺産の勝連城跡で野外公演をやりたいというのだ。

私の方でも、かねて伊波普猷《いはふゆう》の「あまわり考」などを読んで、阿麻和利の人間像には興味をもっていた。また勝連城跡の発掘調査で種子島《たねがしま》鉄砲よりも古い中国式の鉄砲玉が城内から出土したというニュースも読んでいたので、つい興味をそそられて脚本書きを引き受けてしまった。

ところが、あとで教育長の基本構想を聞かされて困ってしまった。

①阿麻和利の名誉回復

②「二童敵討」に対抗する現代組踊の創作
③出演者は町立中学校生徒にかぎる
④劇中に町内の伝統芸能を織り込むこと
⑤世界遺産登録発表の二〇〇〇年三月までに上演すること

脚本書きの立場からすれば、目のくらむような厳しい条件だったが、阿麻和利の名誉回復を願う勝連の人びとの痛切な想いには、胸をうたれた。上江洲教育長も少年時代に勝連出身と名乗っただけで、「あの逆賊アマンジャラーの子孫だな」と差別された経験があったという。管下の児童生徒たちにあのような屈辱的な思いはさせたくない、という教育者としての強い決意がこもっていた。

私としては、出演者全員が中学生では組踊にならないので、主役にはプロの沖縄芝居役者を起用したいと希望したのだが、これも頑としてゆずらない。

「世界遺産は永久保存が原則です。後世の人びとにこの文化遺産の価値を伝えるには、現代の子どもたちの心に郷土の歴史と文化をきちんと植えつけるのが教育者の使命です」と、強い信念を語られた。ガンコともいえるほどの強烈な教育愛・郷土愛・文化愛が伝わってくる。これこそユネスコ世界遺産の基本理念なのだ。

難しい条件だが、かえって創作意欲がわいてきた。私の方からも若干の注文をつけた。出演者全員が中学生で結構だがこれは学芸会ではない、演技指導や演出にはプロの演出家を起用していただきたい。また、舞台は危険がいっぱいである。舞台監督、大道具、照明、音響、衣裳などはベテランの技術者を配置していただきたい。これにはかなりの制作費がかかるが、教育長は、私の注文をすべて受け入れてくれた。

初演日から逆算すると、脚本をあげるまでに半年ぐらいの時間しかない。個人的には県立平和祈念資料館の新館展示の監修の仕事もかち合っていたので、綱渡りのようなスケジュールになった。

プロデューサーの下山久氏に尻をたたかれながら、ようやくシノプス（概要）を書き上げだのが秋一〇月、ようやく第一稿の脚本を仕上げたのが暮れの一二月半ば、翌二〇〇〇年一月から本格的な稽古がはじまり、やっとの思いで三月二五日の初演にこぎつけることができた。一三〇名の小中学生たちは、世界遺産となった城跡いっぱいに展開して、「望み（肝《ちむ》）高き民草の王」と讃えられた阿麻和利の生涯を、彼の居城で再現したのだった。

これで勝連町と文化庁への義理は果たしたが、地元から再演の声がわきあがってきた。とくに卒業して町教育委員会の管轄から去っていく高校生たちが、来年の再演にも出演させてくれと嘆願運動を起こした。結局、県教育委員会の許可もおりて、町内在住の高校生たちは来年度以降も舞台に立つことが出来るようになった。定期公演となると問題は制作費予算の確保だったが、これも蔵當町長の英断で、産業振興補助金から演劇制作費を捻出することになった。

現代版組踊「肝高の阿麻和利」のポスター

「阿麻和利の名誉回復」という町民の全体意志が、「肝高《きむたか》の阿麻和利」のロングランの原動力となったのだ。

あれから一三年、肝高の阿麻和利はますます活躍している。

百数十名の中高校生で編成される出演者は、先輩から後輩へ聖火リレー式に役柄を受け継いでいくので、いつまでも新鮮で初々しい。卒業したＯＢたちが後援会をつくって、後輩たちをサポートしてくれるので、公演活動も活発だ。

本土やハワイやブラジルまでも遠征公演をやって、海外の郷友会の同胞たちにも郷土の誇りである世界遺産「勝連城跡」をアピールしている。

世界遺産登録の第一の目的は、観光客をたくさん集めることではない。

世界文化遺産・世界自然遺産をかかえる土地の人びとが、郷土の歴史や文化や自然の価値を深く理解し愛し誇りとし、人類全体の宝物として子々孫々に確実にバトンを渡していくことである。

25 ムエー（模合《もあい》）社会の昨今

沖縄は地縁・血縁で結ばれたヨコ型共生社会だといわれるが、その典型的な見本が模合だ。模合とは、互助的な金融の仕組みで、本土の頼母子講《たのもしこう》や無尽講《むじんこう》と似たもので、沖縄ではムエー（模合）とかユレー（寄合）とかいう。頼母子講や無尽講といった前近代的な金融システムがほとんど姿を消した現在、沖縄の模合は近来ますますさかんで、沖縄社会の特徴を「模合社会」と呼ぶこともある。

島チャビ（離島苦）の歴史が産み出した独特の金融システムといえるかもしれないが、それだけでは昨今の模合ブーム（？）の実態は解釈できない。どうも経済外的な要因が働いているようだ。

模合には金融模合と親睦模合の二種類のタイプがある。

戦後はアメリカ支配下で金融機関の整備がおくれたこともあって、模合による庶民金融が主流をしめ、一九七〇年代の本土復帰直前のピーク時には総額一〇〇〇万ドル（約三六億円）を超えたという。米民政府系や琉球政府系の金融公庫などから融資を受けられる事業者はごく限られており、零細な企業にとって金融模合は資金づくりの唯一の頼みの綱だった。

時には「ゴロゴロ模合」といって、踏み倒されて破産したなどという物騒な話もあったが、とにもかくにも零細な沖縄経済の再建に貢献したことは認めなければならない。

一九七二年の本土復帰で、沖縄振興開発金融公庫法に基づいて通称・沖縄公庫が設立されると状況は一変した。零細業者の運転資金にもサラリーマンの住宅資金にも長期・低利の融資が行なわれるようになり、さらにサラリーマン・ローンの便利さに圧倒されて、伝統的な模合社会は消滅するかと思われた。

ところが、模合は衰退するどころかますます花盛りの勢いとなった。資金づくりが目的の金融模合は少なくなったが、親睦中心の模合が主流をしめるようになったのだ。

親睦模合にもいろいろ種類がある。

友人模合、職場模合、親戚模合、同期生模合、同好会模合、婦人会模合、区長会模合、ボランティア模合……、数えたらきりがない。政治家の後援会の模合まであるという。要するに、あらゆる地域や職域や集団のなかに、親睦と相互扶助と連帯強化を目的とした寄合いが林立しているのだ。

なかには複数の模合をかけもちしている人も少なくない。私の知人で、月例の模合を数カ所も掛け持ちして忙しがっている銀行員がいる。金融資本主義の世界で働いている銀行員が、前近代的な模合とつき合っているのが矛盾しているように思われて理由を訊ねてみると、銀行の顧客を獲得するには模合仲間をふやすことが近道だという。模合の寄合で顔を合わせると各人の経済力や信用度がよくつかめるという。

親戚模合の様子

模合の運営方法は地域や職域によってさまざま異なるが、典型的なモデルを取り上げるとおおよそ次のような光景が見られるだろう。

まず発起人が周囲に声をかけて模合仲間を集める。口数は平均一二名前後で、たいてい毎月一回集まってのユレー（寄合）を開く。月々の掛け金はせいぜい五〇〇〇円から三万円といったところ。受け取りは原則として競争入札制で、希望金額がもっとも小さい方が落札する。資金調達に急を要する者は、希望金額をギリギリ削ってでも落札をめざす。従って、先に受け取った者は借金になり、後から受け取った者は貯金をしたことになる。落札した者が謝礼の意味で、酒肴の費用を負担するというケースもある。

ただし、以上は金融模合の平均的な例であって、親睦模合の場合はあくまで平等主義が原則である。受け取りもあらかじめ希望によって順番をきめておき、金額も均等である。急を要する場合は、話し合いで順番をくりあげて受け取ればよい。

私も一口だけ模合をもっている。田舎の兄弟や従兄弟たちが一五年前から始めた親戚模合で、隔月一回夕方、村内のレストランに家族ぐるみで集まる。親戚の本家の長男が会長をつとめ、事務係を一人おいて模合帳の管理をまかされている。模合帳は文房具店や書店で売っている市販のもので様式は決まっている。(余談：模合帳を珍しがって買っていく観光客もいるようだが何に使うのだろう？)

掛け金は家族単位で毎回定額一万円だが、これに食事代と積立金を加えて三～五〇〇〇円が上積みされる。夫婦づれや子づれの頭数によって会費は異なる。積立金は年間計画をたてて名所巡りやグランドゴルフや沖釣りなどの大人の部と、夏休みのキャンプや海水浴や奨学金などの子どもの部の二本立てで催される。飲み食い中心の大人だけの親睦だけでなく、大人グループと子どもグループが交流できる、世代間の親睦というのがわが親戚模合の特徴である。

私自身にとってもいろいろなメリットがある。ふだん町方での仕事に追われて、親戚づきあいも地域づきあいもおろそかになりがちな者にとって、隔月一回の寄合は貴重な情報源である。冠婚葬祭の情報はもちろん、地域に根ざした人びとのものの考え方から学ぶことが多々ある。

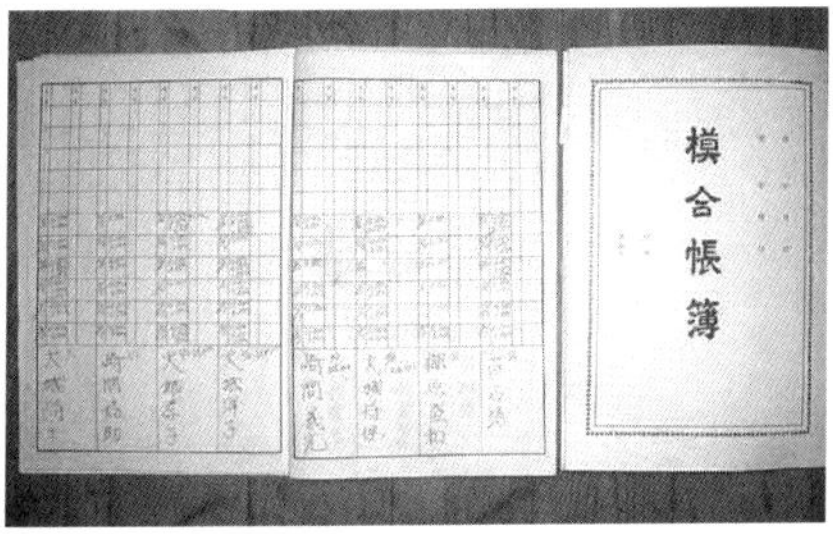

模合を管理する模合帳

たとえば、私はいまある民間放送局の番組審議会委員をつとめているが、テレビやラジオの視聴者としては、彼ら模合仲間の方がいつも一枚上手である。ある月例審議会で「島豆腐」についてのドキュメンタリー番組が取り上げられたが、島豆腐づくりから料理法にいたる沖縄の食文化の話題になると、私の発言はおおかた親戚模合の雑談会で仕入れた、《耳学問》の受け売りにすぎなかった。

26 三線文化の基礎知識

毎年、三月四日は「三線の日」。琉球放送主催の「ゆかる日・まさる日・さんしんの日」が、今年も読谷村文化センターを主会場に幕を開けた。読谷村は歌三線の始祖といわれる、アカインコ（赤犬子）が祀られている由緒ある村だ。

正午の時報を合図に文化センターの舞台で荘重な「かぎやで風節」の合奏が始まって、国際的な歌三線の祭典がはじまる。同時に各国各地の会場や自宅で待機していた無数の三線同好会や愛好者が、ラジオに合わせて演奏を開始する。

歌と三線の響きは一糸乱れず電波にのって海を越え、本土はもちろん海外のハワイや南米あたりまで響きわたって、「世界のウチナーチュ（沖縄人）」の心を一つに結びつける。以後、一時間ごとの時報にあわせて、古典音楽や島唄などの合同演奏が繰り返され、このユニークな歌三線の祭典は、午後九時すぎまで続いた。

そこで、今回のテーマも三線の日にちなんで、「三線」そのものの特異な性格について、私のささやかな見聞にもとづいて紹介しておきたい。

昔からよく「ヤマトは刀の文化、琉球は三線の文化」といわれるが、その根拠として「ヤマトのサムライは床の間に太刀を飾り、琉球のサムレーは三線を飾る」と言われてきた。薩摩藩の琉球侵攻（一六〇九年）以後、薩摩の支配下におかれた琉球国では、サムレー（士族）の帯刀は許されなかったのだから、刀の代わりに三線を飾るしかなかったと解釈してもよかろうが、実は、琉球における三線の地位はヤマトにおける武士の魂＝刀にも匹敵する士族のシンボルとして大事にされていたのだ。

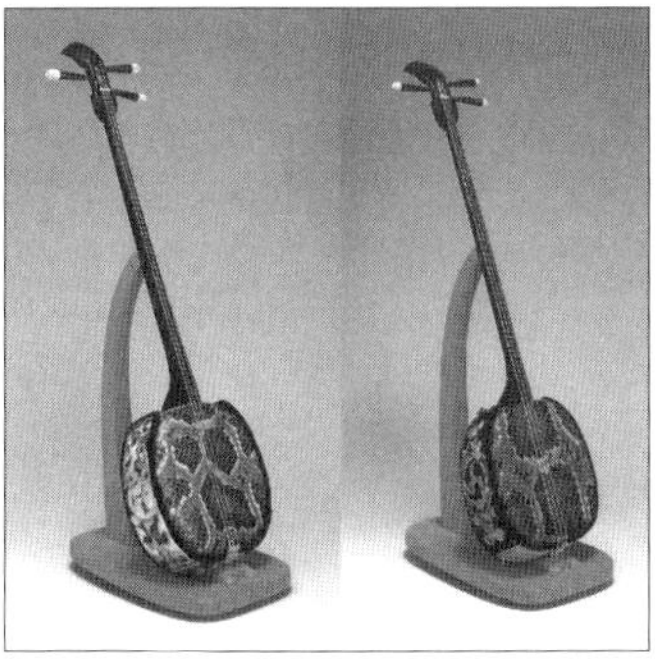
三線２挺

首里王府では、歌三線は上下役人の必修教養として奨励していたし、その伝統は今日に続いている。なかでも、三線は沖縄芸能をささえる重要な楽器として大事にされるが、最高級の三線ともなれば単なる楽器ではなく、父祖伝来の家宝として床の間に飾るだけの重い存在だった

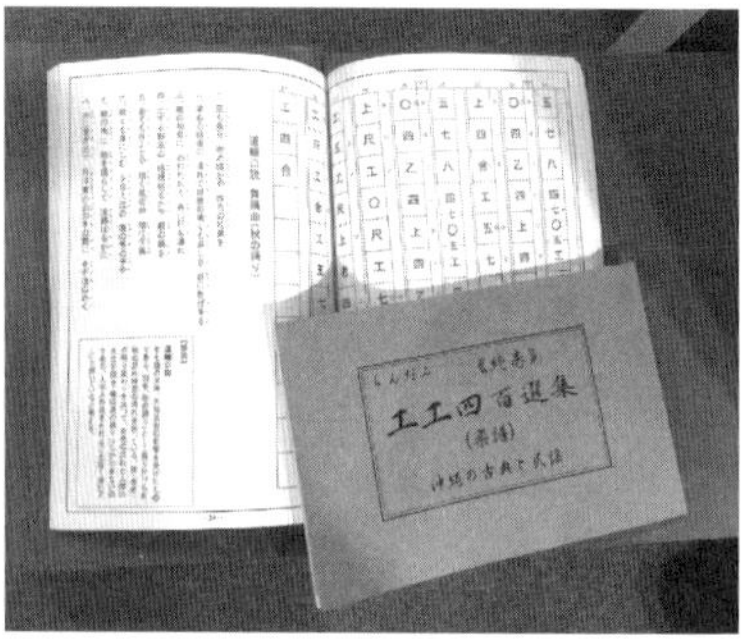

三線の教本と工工四

のだ。

私がそのことを教えられたのは、県教育庁文化課の主任専門員のころ、「県内所在琉球三味線調査」にたずさわった経験からである。この調査は文化庁の国庫補助による歴史資料調査の一環で、戦前期に製作された「琉球三味線」および「三味線楽譜・工工四《くんくんしー》」を対象とした、四年がかりの事業であった。

いくら「三線文化のくに」と自負しても、あの半年におよぶ「鉄の暴風」のなかからどれほどの古三線が生き残ったのか心配だったが、調査委員会を編成して島々村々をくまなく悉皆《しっかい》調査した結果、合計六一二挺《ちょう》の古三線が浮かび上がってきた。なかには王府時代に製作された逸品も秘蔵されていて、現在、王府時代から明治初期に製作された古三線のなかから一六挺の古三線と、三線楽譜「真壁工工四」が県指定有形文化財「工芸品」として指定されている。

三味線調査で確認された戦前製作の六一二挺の三線は、すべて調査報告書の目録に登載されることになるが、それには「三線・湧川開鐘《けーじょう》」とか、「三線・知念大工型」とかという型と名称が必要になる。

ほとんどが銘も箱書きも由緒書きもない裸の三線に命名しなければならないのだから、高度な鑑定作業が必要だった。人間国宝の島袋正雄、照喜名《てるきな》朝一《ちょういち》両先生はじめ「琉球三味線楽器保存育成会」の先生方が協力してくれることになったが、その鑑定法というのが〝神業《わざ》〟としか思えないような不思議さであった。

鑑定作業は、三線の胴や弦を取りはずし、棹《さお》だけを裸にして、材質、重量、全長、野長、糸蔵長、形状（面・野・心・爪）などを計測したうえで、型と制作者を特定して命名するのである。胴の木枠や胴の裏表に張られた蛇皮や、三本の弦などはほとんど眼中になきがごとくである。

琉球三線の特徴は、数百年を経た島内産のクルチ（黒木・黒檀）という〝鉄のように堅い木材〟でできた棹が命だということである。われわれ素人の目をひくインドニシキヘビの蛇皮も、チャーギ（イヌマキ）の胴も、専門家から見ると一種の〝消耗品〟にすぎないという。逆にいえば、樹齢数百年をへた黒木の棹は何十年、何百年たってもネジレやユガミができない耐久力があるという。

三線合奏

ところが、三線の名人たちが黒木の棹にこだわるのは、耐久力だけの問題ではないらしい。
あるとき島袋先生が「開鐘」の銘がついた三線の棹をしみじみ観察しながら、「こんなチュラカーギー（美人）に出会うとつい抱いてみたくなるもんだよ」と、取りようによっては〝危ないセリフ〟をついもらされた。この一言が私にとっては歌三線の道の奥深さを教えてくれた、クガニ（金言）言葉として印象にのこっている。
三線は一四世紀末から一五世紀初期にかけて中国から伝来し、一六世紀末（永禄年間）に大阪の堺を通じて日本全土に伝わったといわれているが、その間に琉球では独特の三線文化が発達し、中国とも日本本土とも異なる独自の三線文化を醸成したのだった。調査委員だった池宮正治教授は調査報告書の末尾を次のように締めくくっている。
「沖縄の人にとって三線は、まさに楽器であって楽器を越えた、およそ信仰にも近い敬虔な精神性を持って扱われた楽器であって、琉球列島の芸能文化を解く特異な三線文化と言うべきものを形成しているのである」

閑話休題。

三線を語るに〝蛇皮問題〟はさけて通れない。三線の胴に張ってある蛇皮にはいろいろ誤解や偏見がからんでいるようだ。観光バスのガイド嬢が「沖縄はハブが多いですから……」と説明するのをこの耳で聞いたこともある。テーマパーク「おきなわワールド」には、三メートルもあるインドニシキヘビの皮が展示してあるが、係員の説明によると、東南アジアから輸入したこの一枚から、わずか三〜四挺分（六〜八枚）の胴皮しか張れないという。

それも現在はワシントン条約で輸出入が禁じられているので、買いだめしたストックが底をつくと、今後は模造皮を張ったものや、台湾あたりから輸入された安価な製品が出回ることになりそうだ。しかし、もともと蛇皮も弦も〝消耗品〟なのだから、本物の三線の美を鑑賞するのなら、博物館や美術館にも足を運んで、本物の三線の美しさを鑑賞していただきたいものだ。

27 沖縄に雪は降ったか

二〇一四年一〇月三一日付の地元新聞に「〝霜注意報〟出るかも～沖縄気象台が新基準」という記事が出た。要点は「沖縄気象台が霜注意報や低温注意報の基準を新たに決めた」というもので、「予想最低気温が五度以下」の場合に注意報を発表するという。「可能性は低いが、必要な時に出せるように」注意報の基準を設定したというだけのもので、なんだか肩すかしを食ったような気分になった。

「昔は沖縄でも雪が降った」という俗説は世間では根強くあって、最近ではネット上でも「南の島に雪が降る」といったキャッチフレーズで読者の関心をあおっている。聞くところによると十数年もまえに那覇に「雪らしい」ものが降っている光景をテレビが報じて大騒ぎになったというが、正確に言えば「雪らしいもの」が降ったことは事実らしい。「雪らしいもの」といえば霰《あられ》や雹《ひょう》などは沖縄でもそれほど珍しくはない。

私が沖縄史料編集所で県史の編集に従事していたころにも、証拠史料つきで「降雪」説をもちこまれたことがあった。証拠史料というのは琉球王府の正史『球陽《きゅうよう》』である。彼が示したのは『球陽』尚泰王《しょうたいおう》一〇年の条で「本年正月初五日、大里郡稲嶺、目取真、湧稲三村ニ於テ雪降ルコトアリ。其大唐豆ノ如シ」と明記されている。ついでに『球陽』をたんねんに読んでみると、予想以上に雪や霰や雹に関する記事が多いのに驚かされた。

①一七四〇年（尚敬二八年・元文五）一二月、雹雨。
②一七七四年（尚穆二三・安永三）久米島で雪まじりの雨。
③一八〇五年（尚灝二・文化二）一月、雹、南山一五郡に降る。
④一八一五年（尚灝一二・文化一二）一二月、雪雹、久米島に降る。
⑤一八一五年（尚灝一二・文化一二）一二月、雪雹、伊平屋島に降る。
⑥一八一六年（尚灝一三・文化一三）久米島に降雪。
⑦一八一六年（尚灝一三・文化一三）伊平屋島に積雪。
⑧一八三二年（尚灝二九・天保三）寒冬、雪・雹・霰。
⑨一八三二年（尚灝二九・天保三）九月、金武郡に雹。

⑩一八四三年（尚育九・天保一四）八月、雪、大里ほか大里南風原。
⑪一八四四年（尚育一〇・弘化元）一二月二六日、北谷郡に雪少しく降る。今帰仁等五郡に雹降る。北谷郡四村に雪少しく降る。今帰仁等に雹降る。其大唐豆に似たり。
⑫一八五七年（尚泰一〇・安政四）正月、大里郡に雪降る。其大唐豆の如し。
⑬一八六四年（尚泰一七・元治元）本年、雹、姑米山に降る。

上記の一覧をながめて気がつくことは、雪、霰、雹の大きさが「雪降ることあり、其の大唐豆（その大きさカラマメ＝落花生）の如し」などと雪と雹や霰との区別がつかず、三種類の特徴があいまいである。霰や雹なら現代でも珍しくないが、本物の雪を見たことのない当時の地方役人たちには雪と霰を区別するのが困難だったのだろう。広辞苑によれば、「あられ・霰」の項で「白色不透明の氷の小塊になって地上に降るもの」と定義したあと、「古くは雹も含めていう」とある。また最新の気象学では「霰も雪に含めて分類される」ともいう。

さて、「沖縄に雪は降ったのか、降らなかったのか」、結論は沖縄の自然研究の権威であられる木崎理学博士にお伺いしてみたい。木崎甲子郎著『琉球の自然史』（一九八〇年　築地書館）に次のような記述がある。

「日本における降雪の南限は徳之島で、沖縄には雪は降らない」と結論を述べたあとで、「だが現代より寒かったこの時代は、雪が降ったかも知れない。古い琉歌には、雪を詠んだものもある。いずれにせよ、興味ある問題だ」と結んで、次のような古い琉歌を紹介しておられる。

「嬉しさや今宵も降りまさてぃ歳よよみたる便りなたさ」


実は、ここからが私の出番といったところで、雪がまったく降らない亜熱帯の島で、琉球王朝時代の昔、詩文や書画や演劇にたずさわる文人たちのあいだで、「雪」はあこがれのモチーフ（題材）であったはずだ。琉歌や組踊や歌曲のなかで「雪」を唱った作品が今に多く伝わっている。琉球王朝文学を代表する琉歌を集めた島袋盛敏編『琉歌集』（風土記社）には次のように雪を題材にした琉歌が多数収録されている。
①大庫裏《うふぐい》の簾《すだれ》まき上げれ童よがほしによくゆる雪の降ゆさ　　護得久朝常
（歌意）大庫裏の簾を巻き上げよ子供、豊年の支度をする雪が降っている。心ゆくまで見たいものである。

②うれしさや今宵雪も降りまさて歳よよすみたるみたよりなたさ　小那覇朝親
（歌意）嬉しいことは今宵雪が降り積もって歳を引き留めた便りとなったこと。
③かきあさりあさり埋火《うずみび》よ起こち霰降る夜や明かしかねて　護得久朝置
（歌意）埋火を消さないようにして霰の降る夜は寒くて明しかねることよ。
④木草枯れはてる雪霜の降ても常磐なる松やもとの姿　比嘉賀慶
（歌意）草木が枯れるような雪や霜が降っても松の姿は変わらないのが頼もしい。
⑤草枯らす霜の冬んでど言ゆすが庭や白菊の花の盛り　護得久朝惟
（歌意）草を枯らす霜の降りる冬だというのに庭は白菊の花盛りであることよ。
⑥世界は野も山も霜に枯れはててかにもさびしさめ冬の景色　作者不明
（歌意）天下は野も山も霜に枯れ果ててかくも淋しい景色になったことよ。
⑦初冬の空の霜と思なちゃさ残る白菊の花の姿　伊是名朝睦
（歌意）初冬の空からおりた霜かと思ったら庭に残った白菊であった。
⑧雪霜に野辺の草や枯れはてて空にありあけの月ど残る　富永実文
（歌意）野辺の草は雪や霜に枯れ果てただ有明の月が残っているだけだ。

想像上の雪景色は国劇・組踊の舞台にも取り込まれている。

琉歌は八・八・八・六調の琉球独特の短歌で、首里王府の上級役人たちが遺した名歌は三線音楽の歌詞として数多く伝わっている。また、王府役人たちは旅役として薩摩や江戸へ派遣される機会もあり、能楽や歌舞伎や和文学などの教養を身につけ、和歌に詠まれた雪景色なども実見する機会はあったのである。だから和歌の影響を受けて雪景色を詠んだ琉歌があってもおかしくないが、国劇・組踊にも能楽や歌舞伎の影響をうけて雪を題材に取り入れた舞台が創作された。

国立劇場おきなわで上演された組踊「雪払い」もその好例である。

これは王府役人の後妻が、主人が旅役で出張した留守中に先妻の遺児姉弟を虐待するという典型的な継子いじめの世話物だが、大雪の日に継娘に下着一枚で庭の雪かきをさせる残忍な場面が、雪を見たことのない観客に強烈な印象となって人気をよび、その後も国立劇場おきなわで上演されたようである。専門家の研究によれば、もともとは越後（新潟）を舞台にした謡曲「竹雪」の翻案物といわれているが、観客は雪が降り積もった場面に圧倒されて、なかには「昔は沖縄でも雪が降っていた」と信じている〝物知り〟もいらっしゃる。

28 サメに助けられた話

琉球王府の正史である『球陽』には、首をかしげたくなる奇談珍談のたぐいが処々に出てくる。多いのが海上漂流中にサメや亀に救助された話で、浦島説話や因果応報譚を思わせる事件が詳細に記述されている。

史実と伝説を混同したわけではない。神話や伝説のたぐいは別巻の『遺老説伝』に収録され、『球陽』には年々国内で起こった出来事が史実として公認され編年体で追加記載される仕組みである。

首里王府では国中の地方役所に令を発して、①士分・百姓の善行の事 ②嶋中奇妙なる事 ③鳥獣草木変異の事 ④落雷、山河人家破敗の事 ⑤潮の満干不時の事を調べあげて、正月までに王府系図座へ報告を義務づけていた。

王府の正史に各地の「奇妙なる出来事」が散見されるのはそのためであるが、なかには海上漂流中にサメや亀に救助されたなどという首をかしげたくなるような記事もある。『球陽』巻二十一、尚育王九（一八四三）年の条に次のような記述がある。

「八重山黒石の仲本、洋にありて船を覆《くつが》えし、たまたま一木に扶して海島無人の処に漂到し、全く神庇《しんぴ》に頼り、サメに乗りて帰り来る。云々」（原漢文）

島役人の取調書には漂流から帰島までの経緯が詳細に記述されていて、無人島暮らしの模様などは空言とは思えないリアリティーが迫ってくる。ところが供述が後半になると、とたんに眉にツバをつけたくなってくる。

「……無人島暮らしが半年もたったある夜、夢枕に白い衣装をつけた神様が現れ、『その方、この島では暮らし難かろうから、いずれ海の生き物をさしつかわし故郷の島へ送り届けるであろうと告げられた。ハッととび起きて、哀れな漂着人は一心に神仏の加護を祈り続けた。数日後、また神様が夢枕にあらわれた。故郷に送り届けるから、早速身支度をととのえ海に出でよ、との神託である。仲本が松明《たいまつ》をかざして浅瀬に出たところ、いきなり股ぐらに魚類がとびこんできて仲本の五体を背中にのせると沖の方へ泳いでいった。夜が明けてみると、長さ一丈もある黄色いサメである。サメは黒島のアキナ干瀬《ひし》の百尋《ひろ》沖で身を沈めて仲本を降ろすと悠々と東の方へ泳ぎ去っていった」と、仲本の供述内容が詳細に記されている。

事件の顛末は黒島の島役人から石垣島の蔵元役所に報告された。驚いた蔵元では、ただちに仲本の身柄を石垣に移させ、八重山在番（王府役人）と頭《かしら》（島役人）立会いのもとに厳重な取り調べを行なった。結論は、仲本の供述に不審な点はないということになって、報告書は石垣島の在番、筆者、頭の副申《ふくしん》を添えて首里王府に上申された。

王府はこの「奇妙な報告」に驚き、仲本の身柄は石垣島からさらに首里に移された。首里城でも厳重な取り調べが行なわれたが、結果は同じであった。さまざまな論議の末、「サメに助けられた話」は「さてもめでたい話よ」という結末なって、仲本には褒美が与えられ、『球陽』にも記載されることになった次第である。

さて、この「奇妙なる事」の真相をどう読み解くかは各人の自由だが、私自身はこの遭難事故が起きた一八四三年（尚育九年・天保一四年）という時期に注目している。一八四三年といえば、幕末の琉球史の上で「外艦渡来期」と称される時期であり、英国の艦船サラマン号が八重山に来航、島々に強行上陸して測量を行なっていた最中である。

列強の国々は鎖国日本の堅い門戸をこじ開けるには、まず地理的にも政治的にも中国と日本の中間に位置している琉球を開国させて足場を築くのが良策と考えたのだろう。「武器なき国」の琉球に足場を築くことを企んでイギリス、フランス、ロシア、アメリカなどの艦隊が次々と現れた。

黒島の百姓仲本の遭難事故が起きた一八四三年には、英艦サラマン号が八重山の近海を遊弋《ゆうよく》してボートをおろし、島々の測量を続けている最中であったのだ。海中に漂流中の仲本を助けた「一木」や、無人島の仲本を黒島まで運んでくれた「黄色いサメ」なるものが、サラマン号のボートであったと推定すればすべてつじつまが合うのである。

しかし、なぜ王府は黒島の百姓を首里王府まで呼び寄せて、「夢の中の神託」や「黄色いサメの奇妙な善行」などといった、空想的な美談に仕立てあげて褒美まで与えたのだろうか。

真相は「国をあげての隠蔽策」と考えるのは穿《うが》ちすぎだろうか。私はかつて歴史小説『琉球王国衰亡史』（岩波書店）の中で、武器をもたない弱小国の唯一の外交術は「上下徹底した面従腹背《めんじゅうふくはい》の策術」と書いたことがある。たとえば「黒島の百姓が英艦に拉致《らち》されて琉球国内の内情が相手に漏れてしまった」という噂が、薩摩や幕府の耳に入れば琉球の外交は立つ瀬がなくなるのだ。唯一の解決策は「褒美をあげてすべて無かったことにする」という隠蔽策だろう。

　要するに、武器なき小国の唯一の武器は徹底した面従腹背の策術であった。ウソも方便で、国の上下が口裏あわせて「サメに助けられた話」をでっちあげるのが上策だったという推理も成り立つのではなかろうか。

29 ウチナー正月とヤマト正月

二〇一四年元日、列島南端の元朝は穏やかに明けた。断雲ひとひらもない快晴のもと、わが家の二階の窓から展望する百名浦《ひゃくなうら》の水平線から午前七時二〇分、真っ赤な初日がゆらゆらと昇ってきた。大いなる自然は、地上のさまざまなごたごたには超然として、この島々にも等しく元日の曙光を分け与えてくれた。

私の子どものころ、沖縄には二度の正月があった。新暦の正月をヤマトゥショウガチ（大和正月）、旧暦の正月をウチナーショウガチ（沖縄正月）と名づけて、新正、旧正と略称していた。

新正は、官公庁や学校などの公式行事として行なわれる形式的な祝日であって、島々村々では圧倒的に旧正月が主流だった。したがって私の少年時代の正月の想い出といえば、ほとんど昔ながらの沖縄正月だった。

元旦の朝、少年たちは朝寝などしておれなかった。「若水汲み」という大仕事がひかえている。早暁の暗いうちにムラガー（集落の共同井泉）からワカミジ（若水）を汲んできて、お年寄りの家々をまわって「ワカミジ買《かい》ミ候《そう》レー！」と売り歩くのだ。縁起ものの若水でお茶をたてて飲むと若返ってくるといわれ、お年寄りたちがお年玉のかわりにお金を与えて若水を買うのだ。ただし、若水売りは男の子にかぎられ、女性は元朝に他家に顔を出すのを遠慮するという、王国時代の男尊女卑の遺制がまだ残っていたのである。

沖縄正月にまつわるもうひとつの風景は、「正月豚」の屠殺《とさつ》である。

農家ではたいてい裏庭に豚小屋があって数頭の豚を飼っていたが、大晦日《おおみそか》になるとその一頭を正月料理用に供するのである。重箱に詰める三枚肉や中味《なかみ》（内蔵）の吸い物や、ミミガー刺身などがお節料理の主役であるが、おおかたの真肉や脂肉は、年中行事用に塩漬けにして蓄えておく。イモとハダシに象徴される貧しい農家でも、豚肉は長寿社会のエネルギー源として貴重な常備食だったのである。

正月行事が今日のように新暦の「ヤマト正月」に変わったのは、一九六〇年代の半ばごろで、婦人会の新生活運動の影響だろうと、私は思いこんでいた。沖縄県婦人連合会では、火葬場設置、標準語励行、消費節約などとともに、新正月励行を生活改善運動の目標にかかげていたからだ。

余談になるが、沖縄から「洗骨」という原始的な旧慣が一掃されたのは、戦後の婦人会運動で各地に火葬場が設置されたおかげである。それまでは、死者の遺体は巨大な墓室の中で棺桶のまま風化させ、数年後に洗い清めて骨壺に移すのであるが、朽ちた遺体を墓庭に出して洗骨する仕事は、女性に限られていた。戦後、米軍支配下の男女同権思想の影響もあって、婦人会が立ち上がって火葬場設置運動が起こり、洗骨式から火葬式に改まったのは、生活改善運動の最大の成果といえよう。

ところが、正月行事が旧正から新正に改まった動機は、生活改善運動の影響だけではなく、意外にももう一つの要因があったのだ。たまたま友人の来間泰男さんとの茶飲み話で、「新正が急速に普及したのは何が原因だったのだろう」と訊ねたところ、農業経済学者の彼は意外にも、「キューバ危機が原因だ」と即答したのである。

一九六二年一〇月、アメリカのキューバ侵攻に備えて、ソ連がキューバに中距離核ミサイルを配備したため、これに対抗してアメリカは艦隊を派遣して、キューバ近海を海上封鎖、世界中を一触即発の核戦争の恐怖で震え上がらせた。

さいわい「キューバ危機」は、ケネディ米大統領とフルシチョフ・ソ連首相の駆け引きで一四日間で解消したが、以後もキューバとアメリカの緊張関係は尾をひき、その余波でキューバ産砂糖がアメリカ国内へ輸入されないという状況が続いた。その穴埋めとして砂糖の産地に適した沖縄が、にわかに脚光をあびることになったのである。

サトウキビの穂花

沖縄戦で南西諸島を占領したアメリカは対日講和条約で沖縄を日本から分離し、事実上の植民地支配を続けていたが、一九六三年ごろからは日本政府の協力のもとに沖縄経済援助を大幅に拡大し、とくに砂糖とパイナップルの生産を奨励した。
米国民政府の指導で各地に近代的な製糖工場が設立され、日本政府も歩調をあわせて沖縄産糖買上法を制定し、沖縄経済援助の一環として沖縄産糖の買い上げを制度化したのだった。キューバ危機をきっかけに日米両政府が推進した沖縄製糖振興策は、たちまち沖縄の農村風景を一変させた。昔ながらの稲田風景はたちまちサトウキビ畑へと塗りかえられ、「高台から眺めればキビの穂花が咲きそろって雲海のように島をおおいつくしている」といった風景が歌にも詠まれた。

田園風景の変化は島人たちの生活習慣にも影響をもたらした。旧正（ウチナー正月）から新正（ヤマト正月）への変化はその現れである。島々に冷たいミーニシ（北風）が吹きはじめる新暦の正月をむかえるころになると、島中のキビ畑で薄紫のキビの穂花が咲きだし、二月の旧正月のころになると製糖工場が始動して、数カ月におよぶ製糖期がつづく。キビ倒しは多人数の人手を要するので、たいていの農家ではユイマール（結作業）で順ぐりに共同作業を続けていく。時節がらとても旧正月の祝酒を飲んでいる余裕はないのだ。従って、新正月は農繁期をひかえて、親戚知人が集まってユイマールの段取りを談合する機会にもなるのである。

学生時代に覚えた「下部構造（経済）が上部構造（政治・文化）を規定する」という言葉を思い出させる、農村社会の今昔である。

30 「しまくとぅばの日」に何を求めるか

二〇一二年三月、沖縄県議会は毎年九月一八日を「しまくとぅばの日」とする条例を定めた。これを受けて沖縄県文化振興課でも、二〇一三年九月に「しまくとぅば」普及推進計画を策定、県庁内に「しまくとぅば」普及推進専門部会を設けて、本格的に沖縄方言の普及・保存運動が挙県運動として展開されることになった。

全国的に方言ブームがひろがりつつある昨今だが、条例で記念日を制定してマスコミや市民運動まであげて保存運動を展開したのは沖縄県だけではなかろうか。戦前の行きすぎた標準語励行運動への反省もあろうが、裏をかえせば、条例で保護しなければならないほど、島言葉（ウチナーグチ・沖縄方言）の絶滅の危機がせまっているのかもしれない。

島言葉の普及・継承のことを考える時やっかいなのは、何をもってウチナーグチ＝クトゥバとするかという定義の問題だ。

国立国語研究所編『沖縄語辞典』に採録された首里方言をもって、「標準沖縄語」とみなすのも理解はできるが、しかし「島言葉」というのは、もともと島々村々の地域の言葉という意味であって、かならずしも全島共通の沖縄方言とはかぎらない。条例の精神からすれば、宮古方言であれ八重山方言であれ、それぞれに振興・継承されなければならない。

ところが、今われわれが求めているのは学術的な言語辞典でもなく、限られた地域の日常用語だけでもない。沖縄語普及協議会で活動している友人がいいことを教えてくれた。「島言葉は雑草である。雑草が繁茂して地下水を蓄えてこそ、沖縄芸能の大木がのびていくのだ」と。

そのような沖縄芸能全般の基礎となる、「沖縄共通語」ともいうべきものが確立できないだろうか。

沖縄方言に共通語があるとすれば、「芝居言葉」をおいてほかには考えられない。明治四〇年代以来、先輩たちは琉球演劇の大衆化に工夫をこらしてきた。組踊から歌劇へ、時代劇から現代劇へと、大衆の求めに応じてさまざまなスタイルの作品が創出された。

演劇の様式とともに舞台で発せられるセリフや歌詞も、観客の耳になじみやすい言葉を合成していった。沖縄芝居の劇団が、言葉の違う島々村々を巡回して公演を続けていくには、どこの村でも通用する「共通語」が必要になってくる。首里・那覇の言葉を基本にしながらも、各地の言葉や島唄をも巧みに取り込みながら、複雑な人間関係や微妙な人情をわかりやすく大衆に伝える言語として編み出したのが、芝居言葉だ。

だから、沖縄芝居のセリフはしまくとぅば（島言葉）の生きた教本になりうるのだ。とくに、敬語の使い方や性別・地域・身分・年齢・職業によって異なる言葉の使い分けは、辞典や教科書で習得するのは難しい。

子どもたちにウチナーグチを伝承する手っ取り早い方法は、沖縄芝居をたくさん観せることだ。私のささやかな経験からしても、島尻《しまじり》（本島南部）の田舎者が、まがりなりにも首里・那覇の年輩方とウチナーグチで会話ができたのは、少年時代にヌギバイ（もぐり）までして通った沖縄芝居のおかげである。

とはいっても今どきの若者たちは、ウチナーグチが解せないから沖縄芝居に興味をもたないという人もいる。だが、それは本末転倒の論である。

劇場や劇団の一番大事な仕事は、良い観客をより多く育てることにある。より面白い舞台をつくり、より多くの観客にアピールする企画をどれだけ工夫できるか、成否は提供する側の熱意と知恵にかかっている。とにかく沖縄芝居が、琉球舞踊や琉球民謡に負けないほどの活気を取り戻さないことには、ウチナーグチの前途は暗い。

まずは劇場や劇団や実演家が、観客の開拓に汗を流す発想と覚悟を固めなければならないだろうが、当面欲しいのは、学校の総合学習や地域の生涯学習にまで視野に入れた総合計画だ。いま全国的に学校や地域での演劇づくりを通して、言語表現や身体表現、コミュニケーションの方法などを学ぶワークショップがさかんだ。

美女ハンドゥー小（ぐゎ）の悲恋を描いた沖縄三大悲劇物語の一つ、沖縄芝居「伊江島ハンドゥー小」の舞台

沖縄でも、学校・地域と劇場・劇団がタイアップして、総合学習や生涯学習と組み合わせた演劇ワークショップを取り入れるのは難しいことではあるまい。

沖縄芝居は、セリフと音楽と舞踊が総合された舞台芸術であり、これに地域の歴史や伝説や民話を素材にした芝居づくりをやっていくなかから、一石何鳥もの学習効果が期待できる。それには専門家の指導が必要だが、とりあえずは伝統組踊保存会や琉球歌劇保存会から実演家を派遣してもらうとか、すでに普及運動に先鞭をつけている、沖縄語普及協議会などに協力を依頼する方法もある。

そんなことを夢想しているとき、那覇の桜坂劇場で「沖縄芝居で学ぶウチナーグチ講座」が開かれ、平良進・とみ夫妻が講師をつとめているという。本人たちに様子をきいてみると、二人でかけあい芝居をやりながら日常会話の基礎を教えていくワークショップ方式のようだ。受講者はすべて初心者ながら、熱心に食いついてくるという。ただし八割方は本土出身と聞いて少し複雑な気持ちになった。

とにかく、われわれの世代で沖縄の言葉を絶やしたとあっては、後世から後ろ指をさされることになる。国立劇場おきなわでもこの問題に率先して取り組んでもらいたい。とくに教育行政のなかにウチナーグチ学習のプログラムを組み入れていくプランは、県条例のたてまえからしても、第一番に着手してもらいたいプロジェクトである。

さきほどの沖縄語普及協議会の友人はさらにこんなことを言っていた。

「いまから学校でウチナーグチを教えていけば、一〇歳の子どもが成人になる一〇年後にはかならずウチナーグチは復活する」と。今からでも遅くはないのである。

31 しまくとぅばが生きている村

『しまくとぅばの日』に何を求めるか」の一例として、平良とみ・平良進夫妻が開いている「沖縄芝居で学ぶウチナーグチ講座」の模様を紹介した。また、沖縄語普及協議会の友人の意見を紹介して、「いまから学校でウチナーグチを教えていけば、一〇歳の子どもが成人になる一〇年後にはかならずウチナーグチは復活する」という楽観的展望でしめくくった。

しかしその後、現実はこの状況認識が我ながら楽観すぎるきらいがあると気になった。

第一のハードルが、二〇一二年三月に沖縄県議会が制定した「しまくとぅばの日」条例や、県文化振興課が中心になって一三年九月に策定した「しまくとぅば普及推進計画」などでいわれる、「しまくとぅば(島言葉)」の定義と範囲があいまいである、という点である。

「山ひとつ越えれば言葉が違い、海ひとつ渡れば習慣が違う」といわれる沖縄の島々の生活文化の垣根をどう乗り越えていくのか、という課題にぶつかる。私は先に「沖縄芝居のセリフが生きた教本になる」と、とりあえずの仮説を述べておいた。ところが第二のハードルにぶつかった。挙県運動ともいうべき「しまくとぅば普及運動」が、将来をになう子どもたちに届くには乗り越えなければならない現実の壁が立ちふさがっているのだ。

先に平良進・平良とみ夫妻が開いている「沖縄芝居の実演を教材にしたワークショップ」や、「沖縄芝居で学ぶウチナーグチ講座」について述べたが、その受講生のほとんどは中年女性で、しかも本土出身者が多数を占めるという。いわば教養講座といった性格で、次世代をになう子どもたちには届いてないのだ。

第三のハードルは、次世代の子どもたちに直接ふれる学校の先生たちが、日常生活ではほとんどしまくとぅばを話す機会がないし、はじめからしまくとぅばをまったく話せない先生たちが少なくないという、現実の深い谷間が横たわっている現実である。

しまくとぅば継承問題に横たわる深い谷間をどう埋めていけばいいのか、学校教育にはそれほどの期待がもてないとなると、残るのは社会教育の分野であろう。私はある期待をこめて、県教育庁や市町村の社会教育や文化財保護に従事する専門家たちに意見をきいてみた。そこから浮かびあがってきたのが、村々島々に脈々と受け継がれてきた地域の民俗芸能の生命力であり、その典型が完璧なしまくとぅばで演じられる「村芝居」であった。

以下に先ごろ私が身近なところでめぐり逢った、典型的な村芝居の風景を紹介させていただきたい。

八重瀬町志多伯の村芝居

八重瀬町志多伯《したはく》は沖縄本島南端の農村地帯にあって、私が住む南城市玉城《たまぐすく》のとなり村に位置している。ふだんはあまり住民の交流はないが、村々の綱引きやハーリー（海神祭）や村芝居などの祭の催しものがあると、はるばる遠くから見物にでかけるという一種の文化圏を形成していた。

私が八重瀬町志多伯の豊年祭にでかけたのは五年前になるが、志多伯の獅子加那志《しーしがなし》豊年祭が一年、三年、五年と年忌《ねんき》きざみで開催される慣例があって、毎年というわけにはいかない。

獅子加那志とはムラ（集落）の祭神とされている獅子舞のことで、豊年の感謝を捧げる祭祀が中心なのだが、二日二晩ぶっとおしで行なわれる多彩なプログラムのなかでも隣村のわれわれが足を運ぶのは、夜になって馬場の広場に仮設された舞台で演じられる演芸プログラムのアシビ（祭祀芸能）がお目当てである。

村アシビのプログラムには沖縄郷土芸能のオンパレードといってもよいが、とくに組踊、沖縄歌劇、史劇、沖縄芝居などの名作劇が入場無料で観られるとあって、わざわざ遠方から足を運んでくる芝居好きも多い。二日二晩におよぶ舞台芸能の演目は、古典音楽から民謡の歌三線、琉球舞踊、棒術、空手などの演目も加えて昼夜におよぶが、これらの民俗芸能は遠くニライカナイ（他界）から訪れる豊穣の神様を迎えて、豊年の感謝を捧げ共に楽しく〝遊ぶ〟という奉納行事なのである。

首里城の国王のために催される宮廷芸能とは異なる、農村の民間祭事から発達した芸能が「村遊び」なのである。従って、豊年祭や綱引きや海神祭などは村人全員が参加するのが原則で、幼稚園児から小中学校の子どもたちまでそれぞれに役割が与えられる。

なかでも村芝居への演目には、組踊や沖縄芝居や現代劇などがあるが、いずれも台詞は沖縄方言だから、演出家は演技指導のなかに方言指導に大きな比重を置かなければならない。

志多伯の豊年祭は住民全員参加が原則だから、字《あざ》区民約一万人のうち役員一〇〇人、出演者一五〇人、あとは裏方として清掃や舞台設営を分担する。舞台出演者一五〇人のなかには「その他大勢」といった役の子どもたちも多いのだが、舞台に立つ「役者」の必修条件は、ウチナーグチの会話がひと通りこなせるということであろう。舞台に立ちたがる子どもたちは、ふだんからウチナーグチを習得する機会に恵まれていることになる。

村芝居・組踊「花売（はなうい）の縁」の一場面

では誰がウチナーグチ教師をつとめるかといえば、志多伯の場合、この小集落内に県立芸術大学で専門的に琉球芸能を研究し修得した、神谷武史さんと知花小百合さんの二人がいて、彼ら自身も舞台に立ちながら演出家として出演者の演技指導にあたり、とくに子どもたちへのウチナーグチ指導に力を入れている。

神谷さんは八重瀬町の生涯学習課文化振興係に勤務するかたわら、地元中学校の総合学習「地域の芸能」などの非常勤講師もつとめている。

沖縄県が推進している「しまくとぅば県民運動推進事業」などについて、私はこうした「上からの県民運動」がどこまで効を奏するか、いささか懐疑的な見方をしているが、志多伯のように「地域の文化は地域で守る」「芸能を通して子どもたちの中に郷土を愛する心を育む」といった、堅固な理念をもって地域に深く根ざした文化復興運動が全県的にひろがっていけば、沖縄の宝ともいうべき「しまくとぅば」が次の世代によみがえる日も来るのではないかと、ひそかに期待している。

32 選挙運動としまくとぅばの力

二〇一四年の年の瀬は、あわただしく暮れていった感が深い。一一月一六日から一二月一四日までたて続けに県知事選挙、那覇市長選挙、衆議院総選挙が相次いだせいかもしれない。といっても今回の話題は選挙そのものではない。選挙運動期間中に気がついた沖縄社会の〝ある変化〟のことを書きとめておきたい。というのは、選挙運動でこれほどさかんにしまくとぅば（島言葉・沖縄方言・ウチナーグチ）が飛び交った前例を私は知らないからだ。

選挙カーは「ハイサイ、グスーヨー、チューウガナビラ」と、親しみを込めたしまくとぅばの挨拶ではじまり、候補者の人物紹介などになるとだんだんウチナーヤマトグチ（方言まじりの標準語）に変化していき、基地問題や経済問題などになると便利なヤマトグチ（標準語）に切り替えていく。

ある候補者などは、選挙ビラにも「負キテェナラン。ウセーラッテーナラン。ナマドー、ウチナー」（負けてはならぬ、馬鹿にされてはならぬ。今だよ、沖縄！）といったセンセーショナルなメッセージを掲げている。選挙戦ともなるとやはり心の琴線《きんせん》にふれる島言葉が効果を発揮するのであろう。

県知事選を一〇万票差で制覇した翁《お》長《なが》雄《たけ》志《し》氏は、那覇市長時代には熱心な「しまくとぅば運動」の推進者で、市役所の窓口応対に「ハイサイ・ハイタイ運動」を取り入れた実績があるだけに、今回の知事選後援会の正式名称にも「平和・誇りある豊かさを！　ひやみかち　うまんちゅの会」という変わったネームを掲げた。「うまんちゅ」は直訳すれば「御万人」でもいいが、「ひやみかち」というかけ声は翻訳不能だ。

いずれにしても地方遊説などで有権者の心をつかむには、同胞意識と連帯感をくすぐるしまくとぅばは、大いに効果を発揮することが実証されたというべきだろう。要するに、公衆の場で島ことば（ウチナーグチ）と標準語（ヤマトグチ）の二刀流が堂々と通用するのが、私など標準語励行運動（方言撲滅運動）の余波をうけた世代の者には、今昔の感を覚えずにはいられないのである。

ところで、県知事選挙の演説会がわが村の中央公民館でも開催されるというので、足を運んでみた。

約五〇〇名定員の会場にほぼ満席の盛況であったが、聴衆の八割方はいわゆるシルバー世代で占められている。ある意味で、平均的演説会風景といってもよいかもしれない。

選挙演説会の風景

候補者をはじめ応援弁士のみなさんも、予想どおりウチナーグチ（沖縄口・沖縄方言）を多用して中央政府に対抗するウチナーンチュ（沖縄人）のアイデンティティーと誇りを強調し、客席もこれに呼応して指笛を吹くやら雄叫びをあげるやら、大いに盛りあがった。

なかでも、応援演説に立ったA先生は終始一貫、純粋のウチナーグチで堂々と演説を行ない、満場の喝采を浴びたのが最大のハイライトになった。無形文化財といってもいいほどの本格的な首里言葉を流ちょうに使いこなした老人は、実は私の高校時代の理科の先生であった。

理科教室に出入りして植物や花の名前を教えてもらった恩師だったが、卒業以来ゆっくりお会いする機会もなかったので、まさかあの厳格な理系の先生が、あれだけ本格的な沖縄語を話せるとは、驚くほかなかったのだ。

集会が終わって、私は先生のところへ挨拶に行なった。ご無沙汰をお詫びしたついでに、「先生があれほどウチナーグチがお上手とは驚きでした」と正直な感想を述べると、「なあに昔の罪滅ぼしだよ」と苦笑いされた。

「罪滅ぼし」という意味が飲み込めないまま別れてしまったが、後で同期生たちの意見などを総合してみると、先生の言わんとするところがおおよそ見当がついてきた。当年とって八四歳になる先生は、戦前から戦後にかけて沖縄教育にかかわってきたベテラン教師であった。

戦前の沖縄教育の最大の目標は、沖縄社会の近代化をめざす標準語励行運動であったが、日本が戦争の道へ突入していく昭和一五（一九四〇）年になると、標準語励行運動が全県あげての県民運動へと強化されて、標準語励行運動が県政の重要方針となり、戦時下の「方言撲滅運動」へとエスカレートしていった。

「戦時下における県民生活の刷新方策」として、

①標準語励行の挙県的一大運動を根強く展開し、雰囲気の醸成に努ること。
②公の集会、選挙演説等は必ず標準語を使用すること。
……
⑤標準語励行運動に際しては、国家的見地より国語の純正統一の重大性、緊急性と、県民発展の必須的要件なる所以とを極力強調すると共に、特に方言を貶《さげす》めるが如き誤解を招かざるよう注意すること。

沖縄県の標準語励行運動で用いられた罰札・方言札

この県政方針では、標準語励行運動が沖縄方言をおとしめるような誤解を与えてはならないと注意しているが、学校現場では「方言札」という罰札まで考案された。方言を話した生徒には、方言札と書かれたヒモのついた木札を首にかけさせて、さらし者にした。罰札は次の方言使用者をみつけて渡される仕組みだから、級友にわざと方言で話しかけ、うっかり方言で答えた相手に罰札をおしつけるといった、疑心暗鬼の空気を学園にまん延させた。

標準語励行運動＝方言撲滅運動は、やがて全国的な国民精神総動員運動と結びついて、〝おくれた沖縄県民〟を大東亜戦争（アジア太平洋戦争）へとひきずっていく地ならしでもあったのだ。

一九四〇（昭和一五）年、たまたま民俗学調査で沖縄をおとずれた柳宗悦《やなぎむねよし》ら日本民芸協会の一行が、この行きすぎた方言撲滅運動の実態を全国紙上で批判したところ、県学務課とのあいだで長期にわたる「方言論争」を巻き起こしたことは、沖縄近代史の上に特筆すべき出来事だった。


標準語励行運動は戦後の新教育時代になっても、学力向上の名分のもとに生活指導の項目にかかげられ、私の高校時代まではまだ多少尾をひいていた。

恩師のA先生が、堂々たるしまくとぅばで応援演説を行なったあと、「罪滅ぼし」とおっしゃったのは、かつての行きすぎた標準語励行運動の光景がまだ心のトゲとなって残っていたのだろう。

33 「四・二八」はどんな日だったか

一九五二年四月二八日はサンフランシスコ講和条約が発効した日。政府はこの日を記念して、二〇一三年の四月二八日に「主権回復・国際社会復帰を記念する式典」を開催した。「まさか、なぜ今ごろ?」という疑問と同時に、あの有名なヴァイツゼッカーの言葉が想い出された。

「五月八日（第二次大戦でのドイツ敗戦の日であり、ドイツでは第二次大戦中に命を失った全ての人に追悼を捧げる日とされている）は心に刻むための日です。……後になって過去を変えたり、起こらなかったことにするわけにはまいりません。しかし過去に目を閉ざす者は結局のところ現在にも盲目となります。非人間的な行為を心に刻もうとしない者は、またそうした危険に陥りやすいのです」（岩波ブックレット『荒れ野の四〇年』）。

敗戦四〇周年記念日にヴァイツゼッカー西ドイツ大統領が記念演説を行ない、第二次大戦でナチス・ドイツが犯した罪悪の数々を列挙して、罪を認め謝罪した。演説は全ヨーロッパに大きな感銘を与え、欧州連合（ＥＵ）への道を開く、和解と信頼の原動力となった。

ひるがえって、かつてナチス・ドイツと軍事同盟を結んだ日本はどうだろうか。外に対しては中国、韓国はじめ近隣諸国との間にわだかまる歴史認識の問題、内にあっては沖縄戦から戦後二七年におよぶ米軍占領をはじめ屈辱的な沖縄差別の数々、これらの史実を直視せず、まるで「起こらなかった」かのごとく歴史の教訓を無視して恥じない姿はどうだろう。

ソ連・中国などの反対を押し切って締結した米側陣営だけとの単独講和条約、その第三条によって祖国から切り捨てられた八〇万人の「琉球住民」にとって、四月二八日は「屈辱の日」となった。

やがて米軍統治の弾圧に抗して立ち上がった祖国復帰運動にとって、この日は「祖国復帰要求四・二八統一行動日」となり、北緯二七度線の壁をこえて沖縄と本土の民衆運動が、史上初めて連帯の絆《きずな》を結んだ「沖縄返還要求国民総決起大会」の行動日となり、さらには国連総会の「植民地の解放・独立宣言」に基づいてアジア・アフリカ連帯会議が提唱した「四・二八沖縄デー」の国際行動日に発展していく。

「四・二八」とはそういう日なのだ。

さきごろ、私はあるテレビ番組の案内役として、沖縄本島南端の摩文仁《まぶに》岬から最北端の辺戸《へど》岬まで車で縦断した。一九六〇年代、毎年「四・二八沖縄デー」にむけて、沖縄返還要求国民大行進団がリレー式で行進したコースだ。

《四七年まえに四・二八行動に参加した友人の手記から、当時の模様を再現してみよう。

「四月一二日、沖縄本島の南端、沖縄戦の終焉の地として知られる摩文仁丘から出発、東西両コースに分かれて北上、一六日間歩き続けて四月二七日、最北端の辺戸岬に到着、その夜、海上の二七度線をへだてて沖縄側の辺戸岬と本土側の与論島（鹿児島県）で焚火《たきび》大会が催される。暗い海をへだてて両側で同時に焚火がたかれ、岬の広場に結集

祖国復帰闘争碑

した二千人余の人々がいっせいに「沖縄を返せ」を合唱する。

与論島までは海路約五〇キロ、歌声が届くはずはないが、あかあかと燃えあがる炎は互いの思いをたぎらせて強い連帯の絆を結びつけた。翌朝、代表団を乗せた大小の漁船群が奥集落を出発、同時に与論島から出発した本土代表団の巨大な船団が南下してきて、北緯二七度線の海上で沖縄と本土の連帯の絆をたしかめる海上集会が開かれた。……》（青山恵昭『北緯二七度線を越えて』より）。

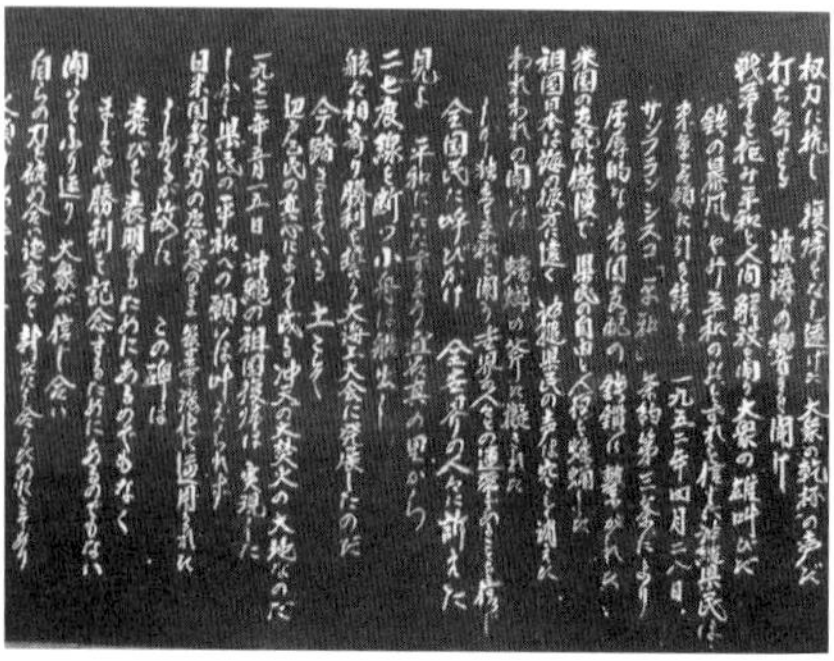
碑文の詩

あれから四八年、久しぶりに訪れて注意をひかれたのは、岬の突端に屹立《きつりつ》する「祖国復帰闘争碑」の碑銘である。高さ三メートルもある石碑の台座に、びっしりと文字が刻まれている。記念碑についての説明文は一切なく、草書体の長い碑文に足をとめて読み入る人は少ない。
記念碑そのものは観光写真などでよく見かけるが、碑文の「詩」について紹介した記事は、浅学にしてあまり見かけない。あとで調べてみると、記念碑は七六年に復帰協（沖縄県祖国復帰協議会）の役員有志が、自前で建立したものだという。

起草者は復帰協会長の桃原用行氏。翌年に復帰協は解散となる。一九七二年五月の沖縄返還協定では、「核も基地もない平和な沖縄を」という復帰運動の目的にはほど遠く、記念碑建立の趣旨などは明示せず、島ぐるみ運動で燃やし続けた沖縄民衆の悲願を、石に刻みつけて後世に伝えようと考えたのだろう。

ここには、まさに噛みしめるべき「沖縄の心」が刻まれている。

全国の　そして全世界の友人に贈る
吹き渡る風の音に耳を傾けよ　権力に抗し　復帰をなし遂げた大衆の乾杯の声だ
打ち寄せる　波濤の響を聞け
戦争を拒み平和と人間解放を闘う大衆の雄叫びだ

〝鉄の暴風〟やみ平和のおとずれを信じた沖縄県民は
米軍占領に引き続き　一九五二年四月二十八日
サンフランシスコ「平和」条約第三条により

屈辱的な米国支配の　鉄鎖に繋がれた

米国の支配は傲慢で　県民の自由と人権を蹂躙した
祖国日本は海の彼方に遠く　沖縄県民の声はむなしく消えた
われわれの闘いは　蟷螂《とうろう》の斧《おの》に擬せられた

しかし独立と平和を闘う世界の人々との連帯であることを信じ
全国民に呼びかけ　全世界の人々に訴えた

見よ　平和にたたずまう宜名真《ぎなま》の里から
二七度線を断つ小舟は船出し
舷々《げんげん》相寄り勝利を誓う大海上大会に発展したのだ

今踏まえている土こそ
辺戸区民の真心によって成る沖天の大焚火の大地なのだ

一九七二年五月一五日　沖縄の祖国復帰は実現した
しかし県民の平和への願いは叶えられず
日米国家権力の恣意のまま　軍事強化に逆用された

しかるが故に　この碑は
喜びを表明するためにあるのでもなく
ましてや勝利を記念するためにあるのでもない

闘いをふりかえり　大衆が信じ合い
自らの力を確かめ合い　決意を新たにし合うためにこそあり

人類が永遠に生存し
生きとし生けるものが　自然の摂理の下に
生きながらえ得るために　警鐘を鳴らさんとしてある

大城 将保（おおしろ・まさやす）

沖縄戦研究者・作家。
1939年、沖縄県玉城村（現南城市）に生まれる。沖縄史料編集所主任専門員として沖縄県史の編纂にたずさわった後、県教育庁の文化課課長、県立博物館学芸課長等をへて、県立博物館長を務める。沖縄戦研究者として、著書に『沖縄戦』『沖縄戦の真実と歪曲』『石になった少女』『「沖縄人スパイ説」を砕く』（共に高文研）共著書『修学旅行のための沖縄案内』『沖縄戦・ある母の記録』『観光コースでない沖縄』（共に高文研）など、また作家として嶋津与志の筆名で『琉球王国衰亡史』（岩波書店）『かんからさんしん物語』（理論社）など、さらに戯曲「洞窟（がま）」「めんそーれ沖縄」、映画「GAMA―月桃の花」などのシナリオ作品がある。

知ってますか？
「近い昔」の沖縄・33話

●二〇二一年 六 月 一 日――第一刷発行
●二〇二二年 三 月二五日――第二刷発行

著 者／大城 将保

発行所／株式会社 高文研
東京都千代田区神田猿楽町二―一―八
三恵ビル（〒一〇一―〇〇六四）
電話03＝3295＝3415
https://www.koubunken.co.jp

印刷・製本／三省堂印刷株式会社

★万一、乱丁・落丁があったときは、送料当方負担でお取りかえいたします。

ISBN978-4-87498-760-5 C0039